UM MUNDO EM POUCAS LINHAS

UM MUNDO EM POUCAS LINHAS

TAMARA KLINK

Editora
Peirópolis

Copyright © 2021 Tamara Klink

Editora
Renata Farhat Borges

Editora assistente
Ana Carolina Carvalho

Projeto gráfico e diagramação
Laura Klink

Fonte Sardinha
Pierre Laurent

Preparação de texto
Lalau Simões e Toninho Correia de Lima

Revisão
Thais Rimkus
Mineo Takatama

Dados Internacionais de Catalogação na Publicação (CIP)
de acordo com ISBD

K65c Klink, Tamara

Um mundo em poucas linhas / Tamara Klink ; ilustrado por Tamara Klink. - São Paulo : Peirópolis, 2021.
172 p. ; il. ; 13 x 20cm.

Inclui anexo.
ISBN: 978-65-5931-107-1

1. Literatura brasileira. 2. Poesia. I. Klink, Laura. II. Título.

CDD 869.1
2021-2712   CDU 821.134.3(81)-1

Elaborado por Vagner Rodolfo da Silva - CRB-8/9410

Índices para catálogo sistemático:
1. Literatura brasileira : Poesia 869.1
2. Literatura brasileira : Poesia 821.134.3(81)-1

Também disponível em e-book no formato ePub (ISBN 978-65-5931-109-5)

Editado conforme o Acordo Ortográfico da Língua Portuguesa de 1990.
1ª edição – 2ª reimpressão, 2021

Editora Peirópolis Ltda.
Rua Girassol, 310f – Vila Madalena – 05433-000 – São Paulo/SP
Tel.: (55 11) 3816-0699
vendas@editorapeiropolis.com.br
www.editorapeiropolis.com.br

PARA LAURA E MARINA,
IRMÃS E PARCEIRAS
DE MUITAS TRAVESSIAS.

CADERNO BRANCO

Como sempre[10] **Não voltarei**[14] **Mãe**[16] **Labirinto**[18]

Convite[20] **Certos relevos**[22] **Longe de casa**[25]

De cara para o vento[28] **Aposta**[30] **Descolar do céu**[31]

Enfim[32] **Pretexto**[33] **Perigo**[34] **Imersa**[36] **Maldita**[37]

Necessidade[38] **Palavra**[39] **Eu e meu peito**[42] **Quem sou**[45]

Abrir mão[48] **Mesmo isolada**[52] **Descoberta**[54]

Fazer de conta[56] **Meninas**[59] **Jogo**[60] **Só você**[62]

Volta por cima[64] **Secretamente**[66] **Seco ou molhado**[68]

Viajar[71] **Fim**[73] **Inverter**[76] **Casa no corpo**[79] **Crescimento**[80]

Tamanho[82] **Sala vazia**[84] **Primeira impressão**[86]

Uma porta[88] **Futuros passados**[90] **Assuntos embolados**[92]

Esteira[95] **Mãos vazias**[97] **Cortar caminho**[99] **Pena**[103]

Já faz tempo[105] **D'água**[106] **Mergulho**[107] **Vida adentro**[109]

Fuso horário[110] **Sentença final**[112] **Rendez-vous**[114]

CADERNO AZUL

Códigos secretos[118] **Castigo**[120] **Refém do nada**[122]
Rastro[125] **Fronteiras**[127] **Instante**[131] **Ninguém**[133]
Um dia[134] **Cores e tons**[137] **Ensaio**[139] **Casa**[141] **Azul**[143]
Preciosa[144] **Monotonia**[146] **Pequenos terrestres**[147]
Janela[148] **Meus frutos**[150] **Moças**[151] **Promessas**[153]
Ponto que separa[155] **A maré subiu**[158]
O vão entre meus sonhos[162] **Foi o mar**[165]

Posfácio, Marina Bandeira Klink[169]

CADERNO BRANCO

COMO SEMPRE

Escrevo como uma draga come o fundo de um canal.
E come um rio, e come um fundo de mar inteiro.

É meu tempo que drago ferozmente, ao tatuar meus
dias nos maços de papel.

Escrevo há anos, mesmo sem ter vivido
tantos assim. E eu já sei: jamais lerei um quinto
do que escrevi.

Isso porque, ao ler o passado, eu não me reconheço.
E pois não quero admitir que nele eu me vejo demais.

Não suportaria saber que em tantos anos eu erro
as mesmas crases, largo incompletas as frases, repito
as palavras preferidas e faço rimas pobres sem razão.

Eu tinha oito anos quando minha mãe me disse assim:

— Toma este caderno em branco e escreve sobre o dia.

TODO. DIA.

E eu peguei o elemento de capa verde com glitter e um
minicadeadinho no canto.

— Tá bom.

Estávamos de férias em um veleiro a caminho da
Antártica. E eu queria saber como nadavam os pinguins,

se a neve ao cair do céu tinha forma de estrela. Eu era criança, mas precisaria orquestrar minhas vontades entre a aventura e a disciplina. Pela primeira vez na vida, eu recebia a missão ingrata de gastar uma parte do tempo passando a limpo o que aconteceu. E o fiz. Com os anos, o desafio de escrever virou compromisso e o compromisso virou um amor sem o qual eu não sei ser.

Enquanto teço este texto que veste meus pensamentos, um painel de botões e números me conta os perigos do oceano. Vencemos onda a onda lentamente, e o vento nos puxa para longe da costa. Poderia durar para sempre, eu penso, a ação de avançar sem fim. Um dia encerra a noite anterior, o sol nasce sobre a chuva, e as nuvens grandes fazem a sombra passear no nosso barco. Mas o painel de instrumentos diz outra coisa: falta muito para chegar, há pedras submersas no caminho, um navio avança em nossa direção e é tarde. Os números me dizem o que meu corpo não sente: estou há muitas horas sem dormir.

Algo me lembra de falar deste momento. Tento me decifrar como os números tentam decifrar o mar. É um exercício ingrato, pois o diário é um jogo de tradução e omissão.

É preciso dar à lembrança o corpo das palavras.
É preciso fazer um mundo caber em poucas linhas.
E é preciso entregar a precisão ao esquecimento.
O caderno tem folhas finitas, o papel pesa na mão, e o minuto descrito dura o mesmo que o minuto de escrever. Se tentássemos guardar tudo, o dia seguinte seria sempre o registrar do dia anterior, até pararmos no tempo e os pinguins sumirem, a neve parar de cair, e o dia escorrer como as estrelas de gelo escorrem pelo convés do barco, sem plateia.

Eu me entrego ao desafio de me conter e não contar tudo, e sei que não lerei o que ficar contido.

Mesmo assim, cada diário tem seu lugar na estante deste barco. Por déficit habitacional, alguns moram em puxadinhos sobre seus vizinhos. Outros dormem entre seus pais e seus avós, bem apertados. Na minha ausência, a estante será o resumo das versões que eu assumi. Acumulo os cadernos de viagem como minha mãe guarda meus desenhos de criança com macarrão cru e massinha de modelar colada. Acumulo na tentativa inútil de conter o tempo. Incontinente.

Enquanto minhas mãos me lembram que faz frio e meus lábios trazem o sal do mar à boca, eu me dou conta de que o registro não fala do passado; pela própria natureza, ele fala de agora. Do que vem à cabeça quando o sol ressurge atrás dos montes molhados, quando temermos enjoar ao encarar um ponto fixo e quando estamos em guerra contra a tensão branca do papel. Por isso, não preencho os cadernos para lê-los um dia, preencho por preencher e os guardo como troféus de batalhas vencidas. Cada folha ocupada, um império. Quando estão em pilhas, cada um é diluído entre os semelhantes. Sozinhos, um único pesa mais que todos juntos.

E o escrito mais pesado de todos é o que escrevo agora.

Eu levei todos os textos da minha vida para escrever este. Pois o produto final de cada registro é o próximo registrar.

Escrever diários é difícil porque todo dia tem uma chance de eternidade. E outra chance, ainda maior, de sumir para sempre. Ele pode ser lido por gerações ou pode se perder no caminhão de mudança. E é por isso que acumulamos tanta coisa tosca.

Nunca esqueci uma reportagem da tevê sobre um jabuti reencontrado numa casa depois de trinta anos.

A família do jabuti acumulou tanta coisa na casa que o animal se escondeu nos objetos e foi da infância para a vida adulta sem ser notado. Numa faxina geral, ele foi achado vivo: uma pisadela e um beliscão do passado com o presente. Como o texto no miolo dos cadernos de viagem, o bicho dentro da casca tem vida própria e passeia sozinho pelas casas das pessoas que o abrigam.

Escrevo por escrever. Mas preciso admitir que mora em mim uma miniesperança de que registrar vai frear o escorrer do tempo. Aqui, minhas preocupações são visíveis: o rumo, as pedras, os outros barcos. Eu estou exausta e troco horas de sono por horas sonhando acordada. Sinto-me sozinha e converso com as ondas, comigo mesma, com amigos infinitos imaginados. Minha maior vontade é chegar, e meu maior medo é o fim da travessia. Por isso, crio um universo paralelo e controlado. Talvez assim seja possível represar nas minhas mãos o agora, conter cada instante nesta memória, e deixar aberta a porta do ontem para quando quiser voltar.

<u>Não voltarei.</u>

Ao escrever, esqueço que drago o tempo de dentro pra fora, no canal, no rio, no mar profundo.

Como o som das ondas lambendo o casco, o texto só existe enquanto for sentido.

E, se quiser exterminá-lo de vez, vire esta página. Para sempre.

NÃO VOLTAREI

Eu te avisei,
disse minha mãe.

previu as
dores, a
falta, as
coisas
expulsas da casa
.
t ã o   l o n g e
    d e
      m i m
previu as minhas
pernas esmagadas
pelas paredes
de um vaso peque-
no demais pra
caber
q u e m   s o u
.
as mães terão razão,

mas não verão golfinhos

céu infinito de estrelas

discursos da noite

terra detrás da água salgada

os acompanhantes

das nossas

escolhas desaconselhadas

.

namorar o desabrigo

ensina

a contar consigo

a dar-se forças pra avançar mais milhas

a ser feliz por finalmente

estar em casa

.

transplantei-me num vaso maior

com novas terras e novos vizinhos

minha mãe continua

sendo **mãe**

sendo minha

de longe

de olho

discordando

acordando

para esse exposto caminho.

MÃE

Às vezes sua fala machuca
minha criança crescente
os sonhos que sonhou pra mim
são ricos
são certos
são seus
.
você traçou os mapas
grifou precisa a rota nos guias
encheu de placas a estrada
me deu pernas, pés, cabeça, e eu
par-
ti
.
em outro continente
me embrenho em águas
estranhas
aprendo a subir em árvores que
mudam de cor
nos verões
cavo túneis faço pontes nos
penhascos
cato conchas faço barcos
quero habitar abismos
enchê-los de
tram-

polins
treino para saltos amplos
precisos
saltos que sonho eu mesma
que sonho inteira
e já saltitam em mim

.

.

.

.

.

.

às vezes
lembrar do seu abraço me esvazia
às vezes me
faltam suas linhas
guias
me falta a sua parte de mim
mas
tenho nos cabelos a cor dos seus
nos olhos sua visão da terra
na boca o seu sorriso
nas orelhas seu <u>labirinto</u>, sua
concha de ouvir as ondas
tenho em mim as suas medidas
do impossível e
nos brinquedos do meu berço
extenso
embarco
nossos abraços.

LA TRIMTÉ-SUR-MER, 30.10.2019

LABIRINTO

Foi numa tarde supostamente atarefada, eu logo disse: não vou nem entrar. Minha avó regava as plantas do jardim e me convocou pra tomar chá.

A porta de madeira separava o tempo da minha avó do tempo da cidade toda. Carpete verde-musgo, o estalar dos relógios de corda, pratos decorados enfeitando a sala com pratos à mesa. Puxo uma cadeira. Água posta pra ferver. Pela primeira vez, presto atenção nos desenhos das louças penduradas nas paredes.

Os cavalos correm no passo do relógio, moças de vestidos compridos riem no cais, um navio, o sino da partida soa alto, distante, convicto. Camomila ou erva-doce?

Uma fatia de bolo de maçã no prato azul de melamina. A mesma louça de sessenta anos atrás, quando minha avó não era nem mãe, e meu avô era vivo e comia torradas com mel em todo café da manhã, como ele faria para sempre. Passo o garfo na lasca da beira do prato: cicatriz das tragédias ordinárias.

As imagens na parede contam histórias longínquas. A porcelana decorativa é mais limpa do que a louça útil. Íntegra, quase estéril. Exposta com orgulho, como se fosse troféu e não prato – simples suporte de comida.

Ela disse: um dia você vai saber o valor que essas coisas têm.

Vou?

Tento decodificar a idade dos objetos, o contexto, as entrelinhas dos seus desenhos, a razão de transportá-los no tempo como hóspedes de cada geração. Uma família de peças portadoras de histórias não contadas. Para existir, é preciso espaço. Para transmitir a memória, é preciso tempo. E espaço e tempo são contraídos no avançar dos dias.

Amanhã vão caber tantos objetos nos modernos apartamentos-cápsula? Vai valer a terra cada vez mais cara, mais rara na cidade grande? Vai caber na vida a ocasião de reparar, de contar o caminho das coisas e ouvir o som das imagens penduradas na parede?

Talvez não. Mas a lasca do prato transporta uma história minha. Tem o timbre da sala de carpete, a voz do relógio cuco, o **convite** para encontrar, de novo, minha avó regando as plantas no jardim.

convite

Completamente despida diante da janela
arregaçada às duas folhas estava a garota que morava
na minha rua. Era um baita espetáculo, vamos dizer
assim, porque todo o quarteirão ficava ali no meio-fio,
olhando. Passo a passo, ela deixava cair a toalha
(quando estava de toalha) e abaixava depois pra
resgatar uma ponta do pano. Suas mãos percorriam
o corpo pra catar as gotas de banho que ameaçavam
cair no chão – ou quase isso: era o que dava a entender
praquela gente juntadinha na rua só pra ser plateia.

Era um tal de pôr e tirar as peças de roupa,
e também de passear pelo quarto meio vestida, meio
não, ensaiando os quadros. E não tinha nada disso
de pudor, de temor, de tarja pra esconder qualquer
vergonha. Tão nua e nem aí que parecia des-saber
que, a cada movimento seu, uma meia dúzia de
pares de olhos se moviam junto. Calados.

Tinha de tudo. Mais o guarda da rua, mais os
guardas das ruas vizinhas, mais um ou outro
passante meio desavisado meio esperando o porvir
com o canto do olho no relógio. Todo santo dia
de banho era sabido, bem como dia de banho pulado
volta e meia. Uma tristeza só era o feriado, em que
a janela ria dos moços vendo navios.

Ah, de noite! Ao longo da rua escura era a única
luz acesa, a da menina, piscando para o público
distraído ver a peça toda posta em corrimento.

Palco pronto com cenário, elenco e holofote. Quem viu, quem não viu, já se sentando no meio-fio.

Minha mãe contou-me a história toda horrorizada, e reagi sem graça por surpresa total. Pobre perdida pessoa pelada, rica da cabeça aos... até onde dava pra ver da calçada pelo ângulo da esquadria.
Se soubesse que o dia de tanta gente fazia! Tinha ideia dos sonhos que em cada espectador acendia?

Olhe, mas, de verdade, pouco importava se ela sabia ou não sabia.

Que era o dela aquele corpo, mais um corpo como qualquer outro? O corpo: um recipiente pra conter gente e uma ventania de falsas verdades. **Certos relevos.** Se em princípio fiquei surpresa, pus-me a rir da condição. Se não tinha até já ficado claro, que fique então: era meu o corpo.

certos relevos

Conheci o mar antes de saber o que ele era. Meu pai nos colocava para dormir contando histórias de ondas gigantes, frio polar, tempestades e bichos que nunca tinham visto gente. Sozinha, eu vencia as ondas, uma a uma. Tocava sua espuma branca, sentia frio, o vento construía o oceano no meu lençol.

Eram todas histórias reais. A profissão de navegador levava meu pai pra muito longe ou muito perto por longos períodos. Minha mãe nos ensinou a ter orgulho da distância entre nós. "Meu pai não me trouxe pra escola porque está dando uma volta ao mundo." E o mundo devia ser maior que todos os quarteirões que eu conhecia. Depois de oito meses, ele chegava do trabalho com histórias novas pra alimentar nossas horas noturnas sem querer dormir.

Cada projeto dele envolvia todos nós. Brincava com minhas irmãs de esconde-esconde entre a calandra, as costelas, as chapas de alumínio no galpão em que meu pai construía um novo barco. Nós nos mudamos de casa para ficar perto do estaleiro. Vendemos a casa pra comprar um mastro quando o barco foi pra água. A gente sempre soube que os projetos da nossa família valiam mais do que coisas que a gente poderia querer ter. E estávamos certos de que podíamos contar uns com os outros.

Eu tinha oito anos quando minha mãe convenceu meu pai de que já éramos grandes o bastante

para navegar com ele. Atravessamos o estreito
de Drake comemorando os seis anos da Marininha
e chegamos à Antártica para não voltarmos iguais.
Aprendi a manter um diário e entendi que minha
história, mesmo curta, é poderosa. Conheci cumes
e vales das grandes ondas, as bochechas queimaram
no frio, a tempestade estourou as amarras do nosso
barco, e vi de perto as jubartes e seus filhotes.

Secretamente, comecei a planejar uma expedição.
Em um caderno, e com letra cursiva, listei os
objetivos, tracei a rota, desenhei as possibilidades e
ensaiei a apresentação. Pronta, num café da manhã,
antes de ir para a escola, esperei meu pai acabar de
ler o jornal e perguntei:

– Você me empresta o barco para eu ir para
a Antártica sozinha?

Não levou mais de dez segundos para ele responder
que não.

– Se você quiser viajar sozinha, terá que construir
seu próprio barco.

Anos depois, esse projeto me levaria para longe dele.

Vim para a França estudar arquitetura naval. Ser
estrangeiro significa plantar sementes numa terra
onde não se tem raiz. Em outro lado do mundo, a
vida afronta nossos costumes
e manias e denuncia o que é essencial. Troquei café
por chá, descobri novos pratos preferidos, memorizei
gírias locais, incluí um sotaque no meu nome,
morri muitas vezes de saudade e conheci pessoas
maravilhosas que perguntam por que eu estou aqui.

Eu vim para fazer meu barco.

E sei que onda nenhuma fará o medo grande demais
e frio nenhum vai me impedir de prosseguir porque eu
ensaio cada passo inteira e costuro, atenta, todos
os pontos do meu caminho. As tempestades são
previstas na viagem, e a dor da saudade servirá de
treinamento. Desta vez, sou eu que estou **longe de
casa,** colecionando minhas próprias histórias pra contar
aos que ainda vão descobrir a força de sonhar o mar.

MARTES, 17.10.2018

LONGE DE CASA

Os corredores do navio eram extensões das ruas da cidade. O barco deixava o cais com a dificuldade de uma criança que começa a desmamar. Se da cidade bebeu água limpa, provisões e combustível, agora, feito uma criança grande, partia só e lentamente, sem ter como ser carregado.

Em Ushuaia, as ruas e os corredores brotavam do mesmo olho-d'água que era o porto. Nele, a cidade nasceu. Para ele, ela estava virada inteira. Dos mirantes presos ao barranco, dos degraus das suas calçadas inclinadas, era a vista mais instigante o edifício flutuante. Ele dormia no ancoradouro. Logo, eu dormiria nele, sonhando.

Enfio meu cartão magnético na fenda leitora de cartões magnéticos. Torço para a luzinha verde aparecer e eu poder entrar na cabine. Uma fila de pessoas dirigindo malas-tamanho-mudança faziam pressão para eu dar espaço na passagem estreita. Vermelha, vermelha, nada de luz verde; isso tinha que acontecer bem agora!

Estaciono nossas malas no corredor e corro em direção à recepção, deixando para trás um estrangulamento na via principal. Escada ou elevador? Eu me arrependo de ter escolhido a escada porque eram muitos os andares até lá. Desço um lance, três, seis lances, e me vejo num pátio industrial escuro em frente a botes de borracha, motores desmontados, garrafas de óleos e peças sujas. Para na minha frente um sujeito vestido com macacão azul e fones antiqualquersomdoplaneta, e antes que eu entendesse o seu figurino ouço um som rouco e ensurdecedor que fazia tremer o chão.

Grito em silêncio com os lábios e as mãos: *What's that?* Era o som dos motores ligados. Nessa tarde, era o som da partida.

Subo dois pavimentos e encontro novamente o carpete azul-marinho que grama os ambientes servidos aos passageiros. Passo por um homem sentado no chão com cara de mar. Uma mulher com um carrinho de bebê vazio fala ao telefone em língua desconhecida.

A dupla de homens de colete de moletom e *walkie-talkies* anda com os olhos sobre pranchetas e desvia de mim, que desvio de um bebê sentado numa piscina de creme de milho na frente da recepção. Pode escanear de novo esse atestado... os dois comprimidos são do dia, e à noite são... tenha paciência, é a quinta vez que eu falo... acho que cai o presidente antes da final... *Miss. Miss. Is there anything I can help you with?* A chave! Pego a tal, desvio do bebê e volto a derivar pela malha acarpetada do navio.

No terço da frente do barco estão os espaços comuns. No restaurante, no café, no bar, nos sofás de ficar observando o mar estão as pessoas liquidificando histórias de tempos e lugares variados. É completamente diferente da zona residencial dos quartos. Ela é acessada por um corredor central que parecia um longo túnel. Nele, estavam as três malinhas, e, em posse da chave certa, enfiei-me na cabine com elas todas.

Fecho a porta dos 10 metros quadrados com banheiro incluso. Sento-me no sofá-cama-prateleira-porta-ímã- -de-geladeira e penso em como aquela caixa estéril pode ser um refúgio pra nós três. A luz do sol argentino desenhava no carpete azul a forma circular da esquadria.

A minha irmã pisa no desenho do chão sem notá-lo e grita para sairmos e vermos a desatracação. Corremos pelo corredor perimetral aberto e vemos no cais os moços que soltam cabos que soltam o porto, convertendo esse apêndice da cidade em uma cidade inteira. Ao deixar a plataforma, o navio se torna provedor da própria infraestrutura. Água, energia e comida devem ser geridas ou produzidas a bordo, numa temporária e aparente autossuficiência.

Começou a escurecer do lado de fora e dentro de mim. **De cara para o vento** salgado, assistimos às luzes de Ushuaia se amiudarem na saída do canal até até. Ouvia o estalo melado da sucção entre as ondas lambendo o casco, e as vozes das gentes abafadas pela música ambiente, pelas curvas dos corredores, pelas paredes com várias camadas. O nosso embalo era suave apenas enquanto estivéssemos abrigados. Éramos uma casquinha de pistache no oceano.

Entrei para tomar sorvete com sabor indefinível escrito em letras norueguesas com cobertura de *dulce de leche*. Pensei que não importava se estávamos no Báltico, no cabo da Boa Esperança ou nos canais chilenos. Poderíamos estar em qualquer um deles.

As barreiras entre os lugares eram a capacidade do barco de existir sozinho e a vontade do capitão de nos conduzir. Os navios são cidades provisórias que deslocam e são deslocados por pedaços de outras cidades. Com elas confinam, com elas recriam os moldes das conversas e suas escalas. Dormi na cabine, que não parecia mais tão pequena.

No meio do mar, cabia um mundo inteiro.

DE CARA PARA O VENTO

Nasce um projeto.

Primeiro é areia fofa.

Impulso e querer partir.

As pessoas do entorno assistem aos passos. Mapeiam as pegadas perenes que acabam na faixa de areia escura.

.

Ali, a água cobre os passos, os pés já são comidos pelo fundo.

É fácil saltar sobre as ondas pequenas.

Os rabiscos, os ensaios, as ideias libertam e não exigem compromisso.

.

As ondas médias trazem frio às pernas, às coxas, o limite está na altura do umbigo e rouchhh!

Já se tem medo, já se sente falta.

.

Empurra-se o peito contra a força do mar.

Os cumes crescem e ameaçam tomar o

corpo. Avançar é duro. Chuta-se o fundo
e atira-se o corpo contra as paredes
líquidas. Sente o sal, a espuma,
o turbilhão suga os braços e os cabelos.
Boca seca, ardem os olhos. Faltam
referências, pontos fixos, falta ar.

Encontra-se força na vontade de chegar,
o destino explica o ponto de partida,
o sonho explica a razão.

Cada onda é uma batalha que pede
e toma tudo. Avança-se aos quase nadas.
Às vezes a onda nos dá brecha, às vezes
nos leva pra trás.

.

Não dá pé.

A cabeça imersa,

presa à respiração.

Cada cume e

vale é uma nova **aposta** de que essa fase
vai passar.

.

Passa. E a língua do mar é grande demais
pra conter um corpo em ação. As
pequenas grandes ondas estão nas costas.
O mar aberto à frente mostra um
horizonte possível e sem fim. Em uma
praia, em outro lado, as ondas serão a
favor da chegada. E, ao chegar, o projeto
tem fim.

APOSTA

Por mim

ninguém sonhará meu sono

ninguém haverá de sentir

o arrepio que sinto ao cruzar

seu peito

ninguém mais torrará a pele

quando eu dormir ao sol

ninguém cairá se o meu mundo

se <u>descolar do céu</u>

só eu

por isso eu caminho nos sapatos
antes de caminhar no chão.

DESCOLAR DO CÉU

Quando te vi no aeroporto

chegou com palavras que nunca tinha ouvido

horas importadas do outro lado do mundo

lembranças ainda frescas de um sábado sem fim

estava tão diferente

o sol coloriu os cabelos

a aventura tatuada nos braços

e o sono esqueceu a mala no meio do estacionamento

a sua chegada

foi como se dobrássemos o mapa da Terra

e o dia passado e o seguinte pudessem

<u>enfim</u>

se tocar.

ENFIM

Tenho água na boca e sal nos olhos molhados

tenho frio no corpo e calor no pensamento

faço do vazio sentimento

faço da fome alimento

da saudade eu ganho carinho

da distância eu ganho caminho

o risco é pai dos meus desenhos

a força é mãe dos meus engenhos

em você acho o **pretexto**

deste texto.

PRETEXTO

Se eu tocasse minha orelha no seu peito

ouviria as faíscas da vida

na sua superfície inquieta

lembraria os outros corpos seduzidos

pelo azul

sua língua lambendo as praias

em pleno verão ardente.

.

minha orelha fria no seu peito nu

e todos os temores são aromas

quando prendo o ar e encosto os dentes pra morder o seu **perigo** cru.

SÃO PAULO, 25.7.2018

PERIGO

Fecho os olhos e o sol se põe

dou passos leves sobre os ovos da sua noite

atrás de toda porta pode haver um gato piano vassoura teia de aranha cartas de amor

eu mesma

posso estar presa nesse breu

e ao te percorrer converso com os meus segredos

em voz alta

(pensa que só você tem medo?)

de andar de meias na areia

de dar braçadas num mar de azeite

de ser uma baleia num copo d'água

ou de ser um copo d'água e querer baleias-azuis

mas quando levanta as pálpebras

nasce de novo o dia

seu sorriso abraça minhas mãos
geladas

corro por novos salões

atravesso as portas fechadas

cruzo os dedos sonhando

pra que seus olhos espelhem os meus

sem piscar

imersa nos lagos castanhos

me encontro no seu olhar.

RIO DE JANEIRO, 25.7.2018

IMERSA

mundo terra planeta

palavras que repito ainda

que evite repetir

como *que*

– que sai da boca como a gota

de saliva sai no grito

que estampa o papel como estrelas

estampam o céu no interior

que entra no texto como pernilongos
entram no sono nas noites de calor

se eu deixar de fugir dessas palavras

será que vão me encontrar?

submersa em outra palavra
.
re-corrente

a **maldita** palavra mar.

PARATY, 25.7.2018

MALDITA

Se a palavra grito

fosse um sussurro

se a palavra fome

quisesse dizer enjoo

se a palavra tempo

andasse fora de hora

eu diria tudo

na língua universal dos barulhos

feitos com a língua

da **necessidade**

[de uma língua].

PARATY, 26.7.2018

necessidade

a **palavra** lavra

o vestido veste

o perfume fuma

o livro livra

a cultura cura

a doença dói

aprender desprende

ensinar é a sina

assassina

PARATY, 29.7.2018

PALAVRA

Os bichos seguem sua rota para a França e nos deixam para trás.

É noite escura, e ficam suas nuvens de espuma, pintadas com as cores da lua.

O sono pesa nos olhos e no olhar.

Faz frio que dói
os dentes e os dedos.

Amoleço a boca passando a língua nos lábios:

secos e

sempre

salgados.

.

É o céu que me prende aqui fora.

Foi pra isso que eu vim?

Foi pra isto:

pra me sentir pequena, mas potente,

MUROS, GALICIA, 15.7.2020

pra me sentir inútil, mas inteira,

pra me sentir cansada, mas completa.

.

As vidas ao redor não mudarão por minha causa os seus destinos.

As fotos tiradas não valerão um segundo aqui.

(Como se aproveita o infinito?)

.

Pulo no lugar pra me acordar,

(fecho os olhos para abrir os ouvidos)

"agora" acontece todo tempo, mas

só

uma

vez

só

só.

.

Depois de amanhã eu verei terra, sentirei poeira e cigarro, ouvirei gritos anônimos e o som de rodas no asfalto.

Depois de amanhã, posso até

esquecer

que esse lugar

existe.

Existe,

mesmo que secreta e invisivelmente

quando **eu e meu peito** não coubermos na cidade que nos veste de ansiedade

e *jeans*

existirá, no alto-mar, um lugar pra onde sonharei voltar.

MUROS, GALICIA, 15.7.2020

EU E MEU PEITO

Perdi-me de vista
em algum momento
já não podia dizer quem eu era,
pois, ao tentar falar,
tornava-me o que eu dizia e pouco
sabia dizer.

.

Tornei-me menos
em francês
do que eu pensava ser antes daqui.
Criança de língua bastarda,
troco pronomes, gêneros, acordos, conjunções
troco elogios, palavrões,
troco sentidos,
jeitos de sentir e de ser.

.

Tornei-me menos e
acostumei-me a ser errada,
a pedir correção,

pedir perdão por desvios, por vazios.
(Chorei meu português com saudade sem tradução.)

.

Amar
não me completa:
parte-me em pedaços
todo dia
emergem sobre mim crateras
de ausência.

.

Milhas afora
atrofiam
minha língua-mãe.
Torna-se estrangeiro o meu pensar
e uso o português
de porto seguro
enquanto eu rego o amor de
meia muda.
Escrevo
pra desconhecidos
em busca de calor,
carinho.
Eu ligo pra casa às vezes
menos para ouvir minha mãe que
para ouvir minha língua
e sentir que eu pertenço a algum lugar.

.

Tornei-me menos

ao meu redor,

mas dentro de mim mora outra

existência

outra versão

que usa o contexto como massa de modelar palavras

– finjo não entender quando a conversa me cansa

(muito útil)

– conto mentiras para disfarçar revoltas

e vez ou outra viro-me do avesso

acreditando que algum dia

na língua que for

saberei dizer **quem sou**.

quem sou

Portar no corpo

ou exportar

pelos

suor

manchas

espinhas

rugas

raízes

estrias

dobras

vincos

caroços

roupas poucas

roupas longas

roupas justas

roupas feias

roupas que brilham no escuro

roupas feitas pra pessoas diferentes de você

andar descalça

andar depressa

andar de barco

andar sozinha

andar sorrindo

andar sem graça

andar sentada

andar em lugares onde não há gente como você

querer mudar

querer dizer

querer amar

querer crescer

querer se achar

querer partir

querer o que disseram que não é pra você

olhar para o céu

olhar sem responder

olhar demais

olhar pela fresta da porta

olhar sem tirar foto

olhar pra si mesma no espelho e não se importar quando alguém te

olhar feio

olhar para o mundo sem medo de não caber no molde

olhar nos olhos da última linha e

abrir os braços

abrir o jogo

abrir mão da conclusão do texto.

(Quando tudo é tão convencional,
uma pequena mudança é logo uma
revolução.)

ABRIR MÃO

PRAM-PAN PREM-PEN prim-pim prom prom prom

Escolhi dar passos largos e as pernas me fogem da cintura

as solas dos sapatos vão sozinhas

buscar respostas para as perguntas que não sei fazer:

aaaaaaahhhhh, eu olho pela janela e vejo a primavera e o sol queimando forte

eu olho para o telefone e ele me diz:

"HÁ-HÁ – sua janela não mostra que o mundo está uma confusão.

Abre os olhos,
desliza pra cima.
eu vou te virar do avesso."

INTERNET, SAI DA MINHA CABEÇA

já sei lavar as mãos por vinte segundos espremendo as unhas contra as palmas

e dando piruetas com o polegar,

já sei abraçar de longe

já lido bem com as paredes mudas

sem reclamações.

.

Eu não

sou invencível

não tenho coração de pedra

eu deixo

abrirem as comportas dos meus olhos
quando for demais.

.

Internet, eu já quis

te enviar para Plutão,

pois, antes de você, eu corria na
estrada com pés alternados e os
cadarços amarrados pra não tropeçar.

.

Falei mal de você e

mordi minha língua de gato:

você que separava agora une

fechados em nossas casas a gente se
abre para estranhos

grandes distâncias provocam a
aproximação.

.

Lembro bem

você zumbia como uma mosca chata

nos almoços de família

e agora puxo sua cadeira para você

se sentir à vontade.

.

O mundo anda uma loucura e minhas
velhas contradições me dão nós.

.

Minhas pernas estão milhas à frente

de mim

lá aonde não chegam os

planos pesados, as

ideias fixas, os

apegos

levam-me embora para os

livros mal lidos,

para os parentes quase esquecidos

escritos distraídos

onde

não espero achar

sentido.

.

Em cinco segundos eu desligarei esse
telefone

puxarei o ar pelos furos do nariz

e

o dia

vai mostrar

que a pior tempestade é na cabeça

que eu tenho tudo de que preciso

dentro de mim

e ainda há motivos pra correr feliz

caçando propósitos eternos
(mesmo isolada).

MESMO ISOLADA

Tenho mania de pular a primeira
página dos cadernos novos,

evitando comprometer a folha

mais visitada da existência do novo
caderno.

.

Deixo-a vazia,

pois temo que um traço em falso,

uma rasura,

uma frase errada,

caligrafia apressada e torta

possam predestinar as muitas

páginas por vir.

.

Deixo a página em branco,

mas sozinha

ela se mancha de dedos sujos

do chá que vazou na mochila

das fissuras

de dobras sem querer

da sua própria vida de

primeira página do novo
caderno velho.

Para todas as minhas primeiras
páginas eu peço
desculpas

quis protegê-las de possíveis
defeitos

e renunciei à chance que me
deram

de exaltar o que temos de
imperfeito

e de convocar, de peito aberto, a
descoberta.

DESCOBERTA

Às vezes eu tenho a impressão
de que abraçar não basta
trançar os membros
trocar calores
dizer todas as palavras
não basta
pra saciar a falta que tenho dela
no dia que partiu fez um buraco
nasceu um vazio
traiu meus planos de tê-la pra sempre
à minha espera.
.
Convivo agora com sua ausência
escuto a voz das paredes
ecoando a minha
sinto o cheiro da sala
completamente vazia
me preocupo com as ideias
e esqueço as coisas reais

esbarro em recordações:

fatais.

.

Mais difícil do que ser deixado é deixar

de amar

o ser amado

mais duro que dar adeus

é **fazer de conta** que o adeus foi dado.

.

Se ela durasse pra sempre eu não saberia

a falta que ela faria

se ela durasse pra sempre

eu

não duraria.

MANTES, 9.9.2019

FAZER DE CONTA

O barco é cheio de cabelos
cada fio tem vida própria
faz penteados, enrosca-se,
dá nós
eu corro de um lado pro outro
pra domar as mechas rebeldes
por fim
parece que se unem
contra mim.

.

Logo eu
que tanto andei para
chamá-las pelo nome
para conhecer seus caminhos
para colocar cada fio
na sua melhor posição
logo eu que arrumo sua juba
melhor que arrumo a minha
que dou cada parte de mim
pra deixá-la em forma

que me levanto no meio do sono
para ver se está bem
assim.

.

Nos aproximamos
aos poucos
primeiro os pais
incontornáveis (escotas, adriças)
aos poucos
seus irmãos (burro, por exemplo)
primos (braço, rizos)
filhos (trilhos)
de certo faltam tios distantes
irmãos bastardos primos
de segundo grau
aos poucos
a família dos cabelos do barco
me dá sinal.

.

Parece que brincam comigo,
parecem querer me enlouquecer
mas não deixo me abater por isso
os cabelos são as rédeas do barco
sua revelia é treinamento
para as minhas mãos lisas
que a cada dia

mais se espessam

mais engrossam

mais aprendem

a usar esses cabelos

para transmitir comandos.

.

(Eu digo pra mim mesma que no dia

em que domá-los

eu terei

nessas mãos **meninas**

as rédeas do próprio oceano.)

ILHAS CIES, 7.7.2020

MENINAS

Vai ser num quarto de hotel
que vai perder o sol nascente
dar um nó no fio da meada
e saltar na tirolesa das vontades
vai temer.
que saibam dessa fome toda
crescente
a lua arranha
os ossos do
pescoço bacia tanque esquadria
vai querer.
tapar a saída do túnel e dormir
na escuridão total
vai ganhar.
o <u>jogo</u> da coragem contra o medo
vai deixar.
minguar
a noite quente
vai lembrar.
amanhã acorda cedo
sorridente.

JOGO

você

me lê e

tenta me achar nessas

palavras

anônimas

uniformes

limitadas

tenta me achar nessa
combinação

de pressa

e intuição

você acha que me vê, mas

vê dilemas

digestões

traduções

do mar revolto ou liso

que me traz e me leva a escrever

você acha que me lê

mas lê sí

la bas le

tras junt a das
lê sistemas
eu minto pra você
porque não cabe
o infinito em um joguinho
de peças prontas e combinações
e escrevo
justamente
pois justapondo peças eu
minto à mente
e faço o mundo parecer mais
universal
do que ele é

.

.

.

pensa viajar comigo
mas posso dizer que viaja
só
derramado entre sentidos que
<u>só você</u>
dá para as palavras

SÓ VOCÊ

O fim da Terra à nossa esquerda. O dia se estende demais. Sinto-me exausta, pequena, incapaz, mais humana que outras coisas e outras vezes.

O oceano não sabe que eu existo. Segue cursos próprios e previstos outrora. Me dá fome, mas não me deixa jantar. Me dá sono, mas não posso dormir nos seus domínios. Me esgota, me enxágua, me carrega e não sabe nem quem sou.

Eu sou uma cega e invisível (per)seguidora

que te torna objeto de poemas,

que te torna modelo de fotos e fotos sem função

que te pede perdão por coisas terrenas

que por você transforma uma vida certa

num furacão.

Eu canto pra você com a voz dos meus pulmões, convoco vento, chuva, nuvens e trovões.

Eu faço caírem chamas do céu nos meus escritos, construo entre palavras o santuário do nosso amor impossível.

.

Fala sério,

você sabe que eu passei, pois deixei meu rastro

branco no seu corpo azul

você sabe que eu existo porque deixei

pedaços de mim pelo caminho.

.

Se não sabe de mim, deveria,

porque me mandou ondas gigantes

e com toda a minha pequenez

dei uma **volta por cima**,

e a história que fizemos juntos

eu chamei de minha.

FIMITERRA, 9.2.2020

VOLTA POR CIMA

hoje eu escrevo para as que se perdem

de vista

do grupo

do ponto de encontro

da noite tão curta

de si

.

escrevo para as que se espalham

por salas de estar

por rotas ambíguas

por redes sociais

por almas de terceiros

por amores sazonais como as frutas são

por lugares distantes do planeta

.

escrevo para as que se tocam

de convidar

a si

para passear por terrenos secretos

internos

curvilíneos

e dar-se as próprias mãos

.

escrevo para as que se estendem

nas conversas

nas explicações

nas festas que acabam muito cedo

nos poemas que começaram com um tema

e outro tema terão

.

escrevo para as que escrevem

sem publicar

para as que publicam

vidas secretas

para as que **secretamente**

fazem promessas

para as que prometem

voltar pra casa

e para quem "casa"

é quando vê alguém

e acha a si mesma.

VIANA DO CASTELO, 27.2.2020

secretamente

O mundo se parece

na carta

as bordas

dos continentes

parecem mordidas por muitos pequenos dentes

as formigas geógrafas

montaram frentes de atuação

seis equipes

sobre a massa de pão

combinaram não deixar migalhas

mesmo assim

sobraram ilhas

pontas e arquipélagos

no caminho

as destemidas

avançaram sozinhas

cavaram fiordes, escarpas, estuários

algumas se empolgaram juntas

formaram bacias, penínsulas e grandes lagos

as preguiçosas deixaram cordilheiras

separando-se das companheiras

as ausentes formaram os cabos

esquinas de grandes tormentas

deram por encerrado na hora da chuva

quando a água se espalhou por todo lado e cobriu

o mapa de azul

<u>seco ou molhado</u> em certos lugares

doce ou salgado também

novos habitantes chegaram

(primeiro os peixes)

dizem que até hoje

certas formigas continuam seu trabalho

abrindo novas baías novos rios

comendo a altura das terras que o mar cobre

tem gente que ainda rodeia o mundo delas

achando que é seu

(mas dá pra ver as mordidas nas falésias).

ILHA DE AROUA, 16.2.2020

SECO OU MOLHADO

Acordei em terra firme

amarrada num cais

o dia

me apresenta a prazeres.

.

Degusto

a folha de alface

a conversa com desconhecidos

o silêncio das paredes

o banho

quente

na cabeça

o sol

as janelas abertas

o sono

por horas a fio

o gato

o cachorro

o encontro com bichos da rua.

.

Posso vestir

a roupa seca

ou estar nua

.

Posso dormir

na cama

ou no sofá.

.

Contemplo

a retidão do chão

a indiferença ao vento

os traços de espuma das ondas

quebradas

longe daqui.

.

Posso parar

me ver no espelho

desfazer os nós dos cabelos

sozinha

posso até me achar

bonita

ser superficial

abraçar meu comprimento

e me orgulhar

de ter

vindo de onde vim

O GROVE, 17.2.2020

e inteira
aportar aqui.

.

Acho mesmo que
é preciso **viajar** pra viver
o prazer infinito de
estar de volta.

O GROVE, 17.2.2020

VIAJAR

FUGIR
Mudar de endereço

MANDAR
um cartão-postal
(vazio)

MORAR
num país estrangeiro
em pleno fevereiro
esquecer o carnaval

DAR TEMPO
de todos cronogramas
dos dias
e outros dias iguais
da terra
e suas coisas terrenas
suas tormentas pequenas
seus arrastos gerais

PARTIR
sem data de volta

FIMITERRA, 11.2.2020

MUDAR
rumo sem razão
(paixão)

MIRAR
o destino incerto
seja longe, seja perto
só ou na multidão

VASCULHO
o fundo do oceano

ESCALO
cordilheiras do mar

NAVEGO
sobre cartas abertas
canto a almas despertas
espalhadas no ar
por mais
que o mundo seja grande
por mais
que o <u>fim</u> não vá chegar
eu sei
duma coisa certa

SER LIVRE
é ter para onde voltar.

FIM

Hoje dormi e acordei no escuro
muitas vezes
ouço água correr pelo teto

me apoio nas paredes para percorrer o
chão
meu sonho parece a vida
real
mais do que a vida que eu vivo neste
instante
sinto frio e tenho
suor no peito
quero chegar
a um ponto fixo a uma
posição precisa
ao xis
marcado na carta
rainha das minhas
medidas
me aproximo das luzes

GOLFO DA BISCAIA, 8.2.2020

guias
coloridas.

.

Quero estar
perto dum sinal
de outras vidas
que pensam em línguas malucas
sentem fome de pratos estranhos
amam gentes que jamais estarão
aqui.

.

Estou num lugar que não dura
um segundo
vejo nascerem e morrerem
montanhas
escalo ladeiras vestidas de branco
o céu experimenta fantasias
dum carnaval de infinitos
dias.

.

Canto pro vento como se
rezasse
pro infinito
eu choro como se doasse minha
terra
pro mar
eu grito para

ouvir

meus pensamentos

quando

a paisagem se **inverter**

e na ponta do cais seguro

eu quiser

navegar

de novo.

GOLFO DA BISCAIA, 8.2.2020

INVERTER

Você só me amará pela metade

enquanto não falar minha língua

uma das minhas vidas será secreta

de braçadas, escaladas, projetos e sonhos marinhos.

os lugares plantados na minha pele eu te contei

mas enquanto você se entrega inteiro eu te entrego

os meus espelhos (*Mais lorsque tu te rends complètement, je ne te rend que mes miroirs*).

Não vê

que na minha língua materna eu

vivo

por um

triz

entre a flor

da pele e

da palavra

eu sou o

texto

escrito, eu sou o

texto

dito, eu sou o

grito a

forma falada e a

piada

eu sou a desordem expressa nos versos desemparelhados

minha paixão maior não são navios

é mergulhar no

peito

das

pessoas que leem meus

escritos

é explorar as

linhas

do que eu

devo ou não

devo

dizer

é arrasar *front*

eiras

do que me

dói e

do que

me satisfaz.

.

Você diz que me
ama.

.

No dia em que falar minha língua,
a gente vê o que faz.

.

.

.

Eu ando partida ao meio

cada metade fala uma língua

se veste dum jeito

habita um país

os grupos de amigos pegam aviões que não se cruzam no céu

como se o mundo fosse uma maçã partida

meu corpo de minhoca tenta juntar as partes

enquanto as metades se reconhecem menos a cada mais

como uma baleia que navega pelo mundo inteiro e habita

nenhum país

eu carrego minha **casa no corpo**

me visto com minhas paredes

eu tento traduzir aquilo

que se sabe

e não se diz.

CASA NO CORPO

Ela era filha de dois mares.

O dia mais frio do ano era toda segunda-feira, quando a mãe saía pro mercado e levava o universo embora. Entre o céu e a terra, ela se sentia só, perdida. Queria mergulhar nos olhos verdes, queria sentir o calor das correntes acarinhando os seus contornos.

Nas primeiras segundas assim ela chorou. Nas segundas seguintes se deu conta de que o choro não mudava nada.

.

Às vezes distraída, sem jamais parar, a dor do **crescimento** doía.

CRESCIMENTO

Vocês têm que saber viajar sozinhas
disse minha mãe quando tínhamos
onze anos
dando a passagem
(a coragem).

.

Olha sempre se mudou o portão de
embarque
disse ela
pondo o passaporte na minha mão
(a transmissão).

.

Aproveita
ela gritou
com olhos alagados
na fila antes do raio-x
(a raiz).

.

Eu só quero ter você por perto
a voz falhou
na ligação sem fio

(o vazio).

.

Não entendi

a princípio

a traição:

ensinar a voar

e pedir pra voltar pro ninho.

.

Mas

a mãe

nos carregou no próprio corpo

protegeu nossos primeiros passos

caminhou para criarmos caminhos

nos deu as próprias asas pra atravessar o mar

viveu por nós metade da sua vida

nos abraçou na hora da partida

e

restou ilhada na praia da despedida.

.

Eu queria que minha mãe soubesse que longe

foi onde eu soube

o <u>tamanho</u> dela.

.

Eu queria que ela soubesse que

se perto eu pedia espaço

aqui eu sinto estar com ela.

LA ROCHELLE, 14.12.2019

TAMANHO

Eles dizem:

melhor aluna da escola tal

adesivo da superfaculdade incógnita

menção na revista que circula pacas, aparentemente

tantos seguidores numa rede social secreta

prêmio nacional do país distante

estrela da TV que não passa aqui.

.

Ela exibe sua pilha de *certificantes*

que dizem muito

muito menos

do que o espaço entre cada um deles.

.

Acreditou no valor dos distintivos

sonhou com prêmios inventados

quanto suor, quantas renúncias, quantas ausências recompensadas com carimbos prateados

e

outro dia, outro lugar

seus triunfos eram letras misturadas

e só.

.

Só hoje me dou conta de que
distintivos só valem no contexto.
Sem contexto, importa o que a gente
mostra que sabe fazer, quem a gente
é quando o bicho pega, o que sobra

quando não há papéis nem energia

e ficam o corpo e a mente

na **sala vazia**.

.

E a gente, enfim, é grande sem
medida.

SALA VAZIA

Ando pensando em voltar

pra casa
amarela voz de cachorro no portão
cheiro de feijão perfumando a rua
invadindo narinas meias deixadas no
chão.

.

Tenho querido voltar

no tempo
a notícia da viagem o frio na barriga no
rosto
frente ao vento os braços das irmãs no
banco ao lado
diários prematuros bilhetes lápis de cor.

.

Tenho tentado pescar

na mente
a <u>**primeira impressão**</u> do mar azul o
silêncio do deserto a cor o cheiro o calor
do fim do mundo.

.

Tenho tentado cavar

espaço
dentro do peito
pra minha paixão reinar sobre a razão
humana
pequena
cigana
quero conhecer os limites que moram em mim
redefinir a silhueta das paredes
descontar a história dos guarda-corpos e
saltar.

.

Casa: lugar quente, macio e tenebroso de onde
quer-se partir criança, pra onde quer-se voltar
adulto em dia de chuva, sobretudo

casa é onde a gente é si mesmo

é onde tomam sol nossas entranhas é onde a
gente tem coragem de ter medo

e quando penso em voltar pra casa eu volto
querer voltar o mundo

.

.

.

Ainda outro dia

peguei um trem e pensei:

por que viajar revira a gente?

PRIMEIRA IMPRESSÃO

Usa-se uma faca pra cortar uma maçã
ao meio.

Abre-se **uma porta** girando e
empurrando o pulso com os
d e d o s
abraçados à peça de metal.

Dá-se um beijo inspirando
o ar
da boca,
comprimindo os
lábios e soltando-os repentinamente em
algo ou alguém.

Faz-se um sonho alongando
o caminho pra casa, carregando
ganchos
pra
pes-
car

lanternas

em conversas,

visitando a imaginação.

Constrói-se um projeto montando

planilhas,

cronograma,

embarcando e

sendo embarcado em

projetos de outras pessoas

insistindo relançando reforçando-se

a cada não.

Escreve-se um poema tirando

os

sapatos

somando

letras formando

manchas no espaço

como se fosse um

desenho de

canção.

E termina-se um escrito

voltando a vista para

a maçã escura partida ao meio.

UMA PORTA

O quarto andar despertou com o
alarme de incêndio:

andei queimando crepes de manhã

cheguei à aula atrasada

usei a ironia em francês

ninguém perguntou de onde eu vinha
até eu dizer tchau

parei pra comprar baguete

entrei no banco de shorts

na rua de sol

pensei ver professores do Brasil.

.

Ah,

a saudade e a vontade de mudar
de jeito.

.

Seguir a ordem correta

ou descabelar o fio que pende a vida

e extravasar a vontade de cantar alto
na rua

de escalar as paredes

de achar

que não vão nos reconhecer

jamais?

.

Os grupos do Brasil marcam rolês

vernissages bienais

como se fossem diários

futuros eventos **passados**

Os grupos da família deixam marcados

problemas que nascem solucionados.

.

O remo some de mim

a coxa trocou diâmetro por hematomas

a mão trocou bolhas por grossura

quatro da manhã soou cedo pra acordar em um dia frio sem vento

quem diria

que dessa paixão maluca eu partiria?

.

Cozinho desafios salgados

ensaio tomar as rédeas do calendário

meus sonhos me têm nas mãos

minhas mãos eu tenho

no primeiro crepe bem-sucedido

no relógio que diz que é tarde

e no diário.

FUTUROS PASSADOS

Os meses fazem neblina na memória de casa

cheiro do spray de cabelo da vovó, gosto da água do filtro, cor do tapete da sala, som de você vestindo os brincos, pondo a chave na fechadura, abrindo a porta, e de repente

o vento do mundo entra na sala.

.

Antes de fechar a porta

já estou

vazia

de você, mamãe.

.

Ontem Paris me lembrou São Paulo

cabelos coloridos, tatuagens, sol, andar de bicicleta no meio dos carros, me sentir anônima, correr pra entrar no metrô, checar a carteira no bolso, passar por vasos de plantas rebeladas, entrar em casa e encontrar

meias coloridas na entrada
livros de história na mesa de jantar
post-it com fórmulas de física
listas de compras na geladeira
folhas secas prensadas entre livros
uma porta
com alturas de crianças que cresceram.

.

Se fosse hoje
se fosse agora
eu guardaria seus brincos
esconderia sua chave
impediria a porta de deixar o vento entrar
tentaria te enrolar puxando <u>assuntos</u>
<u>embolados</u>
como tento fazer ao telefone
antes de ouvir que a sua vida corre
sem a minha
que nosso encontro é uma desculpa pra
uma viagem de férias
e a minha vida antiga esgota aos poucos
uma colagem desbotada
do presente
que não
me pertence
mais.

PARIS, 8.2.2019

ASSUNTOS EMBOLADOS

Tenho vinte minutos pra pegar no sono, soltar as botas, voltar a sentir os pés. Vinte minutos pra reaver minha força moída. Dezenove pra voltar pra casa

torrar no sol

pular nas águas quentes de Paraty

cheirar o abraço da minha vó

andar pela sala descalça

dezoito pra comer pudim

pra beijar minha mãe

dezessete pra esquecer a falta que meu ninho faz

dezesseis

quinze

um

trinta segundos pra cair na real

na costa da Bretanha

sem vento

com frio

avançamos aos centímetros

e falta uma eternidade pra chegarmos.

.

Alarme desesperado.

.

O sono confunde

sonhar com terra torna o mar um pesadelo

sonhar com o mar torna a terra sem um porquê.

Quero que o sono traga,

duma vez,

a fome de tomar caldo, colar de sal, fazer xixi num balde e ficar de cara pro vento frio procurando possíveis colisões.

.

Somos dois estranhos.

Do meu lado, ele sonha com ela. Dorme com a menina americana, toma chocolate quente, revive sua história deixada em outro continente. Nos conhecemos há vinte e quatro horas.

Nos conhecemos aos montantes, dando bordos na saída do porto, e dividindo chá, bolacha e pensamentos.

Agora torcemos por vento

pra largar nossa esteira branca rasgando milhas.

Somos estranhos, mas temos o mesmo plano

de dobrar a esquina do Raz de Sein a tempo

e atracar no pontão inteiros.

.

Agora faz sol, a terra se estende em frente.

Seria mais fácil se não, mas já está previsto que chegar vai me fazer querer viver

todo esse sufoco

de novo.

.

Uma voz de criança me importuna com perguntas egoístas

se a rua sente falta de me ver correr de madrugada

se os vizinhos se lembram de me ouvir cantar no jardim

se minha mãe reclamaria do fogão coberto de massa de biscoito

e da <u>esteira</u> de objetos que eu deixava nos cantos todos.

A criança me esbarra e reclama: fazem ainda questão de mim?

ESTEIRA

Já tenho as paredes forradas de palavras
planos, mensagens de amor, pedidos de mil
desculpas, desejos de extinguir fronteiras,
projetos de barcos que voam, cartões-
-postais, folhas secas de outono que catei
do chão voltando pra casa.

.

Meu dorso coleciona travessias. Dedos
diversos, rios de suor de carregar mochilas,
camisas, capas corta-vento, neoprene, nada
– entre o primeiro e outros cem abraços
nesse inverno ardente longe de casa.

.

Casa. Já não sei se voltar quer dizer cruzar
três ruas ou milhares de milhas no céu.

.

Um dia vai me conhecer inteira?
Vencer a fronteira do presente e o retalho
de estereótipos e imaginações do meu país.
Quero que entenda a língua do meu
pensamento. Quero que saiba quem sou, de
onde eu vim. Quero que encontre a minha
voz primeira, que é mais grave, mais
profunda, mais segura de mim.

CONCARNEAU, 7.6.2019

Tenho saudades do café. Dos grãos cheirosos, da torra clara, das flores, da minha mãe nos ensinando que é a travessia da raiz à xicara que traz o sabor à boca, que a história do café está presente em cada gota, que a gente pode dar a volta ao mundo e não deixará de ser a gente

nem no meio do nada

nem de **mãos vazias**

nem sozinha

nem por um segundo.

CONCARNEAU, 7.6.2019

MÃOS VAZIAS

Acordar com o sol na boca

dormir com estrelas no olhar

<u>cortar caminho</u> na mata

na areia

entre as barracas da feira de bicicleta

cortar caminho no silêncio

cortar caminho nos nossos desejos cruzados.

Pergunto muitas vezes como se diz certas palavras

pergunta muitas coisas como é isso onde eu vim.

Escolhemos a primeira alface da barraca, compramos peixe sem olhar o preço, fomos a quatro bancas para escolher limões.

No fim da tarde, você me fez voar do trapézio de cara contra a genoa.

Capotamos duas vezes o barco e agora enrolamos velas e manilhas tomo banho na chuva

ao escovar os dentes eu mapeio
novas rugas no espelho

é tarde

são os rastros de sorrir demais.

CORTAR CAMINHO

Pediu pra cancelar o encontro eu não

iria deixar passar fazia uma

semana e meia que trocávamos

mensagens desejos retratos

pequenas

sementes de amor

me veio, antes de tudo

com braços cruzados a sala

cheia de copos e interrogações

me veio com o tema

infalível

mastros matéria camadas de carbono

foils frações de

segundo centenas de desconclusões
sobre a forma da carena dos veleiros
de competição

horas depois a sala

vazia dos outros repleta

de apenas dois.

.

Vinte e duas horas é cedo eu

menti ao telefone e nos

encontramos na esquina de um bar que eu fingi conhecer há

uma cerveja e um chá

você tinha o mundo na voz

a mesma que me hipnotizava ao telefone há alguns dias longos demais.

.

Uma da manhã saímos o aperto das mãos geladas

voltava pra casa sem beijo sem sono sem nada na rua me contive pra andar

em frente, Tamara, o certo é ser difícil

e minha mão rebelde sozinha vasculhou meu bolso de trás apertou botões e levou meu telefone à orelha ALOU

era escuro eu corria

te juro quanto eu corria

contra a corrente o vento o tempo do seu trajeto ao longo da margem do rio

ele não me viu no escuro até eu
chegar bem

perto

bem perto

bem

apertei os braços em torno do
pescoço e pus em dia a minha
fantasia de que a gente seria assim.

.

Agora te tenho ao telefone

amanhã te tenho nas costelas

no peito no pé no dia infinito da
noite

me descobri chiclete me cobriu de
sorte me perdi do medo me
encontrei montando o vento na barra
do leme você regulando a genoa

mergulhamos pra caçar

caranguejos

voltamos com vento em popa.

.

E jantamos as patas com sua mãe
que perguntou como aprendi francês

nem eu sei

aprendi falando contando os
números com os dedos querendo
saber de tudo absorver as aulas a
expressar paixões

é a língua que rega a cada manhã
e tarde o nosso jogo contra o tempo
e a estrada das nossas cidades
vizinhas.

.

É **pena** que não entende o texto,
esta minha versão da história

tenho um mundo secreto entre os
dentes sem querer

sou um livro aberto nesse assunto na
minha língua materna

pediu pra cancelar o encontro sem
me conhecer direito

faz um mês que agradeço às minhas
mãos destemidas que exploram os
certos e os errados contradizem
conceitos e escrevem

assim.

PΘNA

Você perguntou por que te deixei de lado

por que falo de uma coisa só e esqueço

que o resto do mundo

existe

me empurrou do elevador e deixou

no ar

meus gritos de desculpa

despedaçados

meus pedidos de carinho

esvaziei

no vento

das portas metálicas fechando

e você dentro

não entendia nada

o porquê

de eu sorrir sozinha no vazio

de eu andar na rua dançando

e não te dar notícia

nos fins de semana

não responder a mensagens

não ser

nem um pouco boa

em ser namorada.

Escorri pelos seus dedos ao achar

no vidro da janela a minha razão de estar

sempre com os dentes à mostra.

É tarde pra pensar em não dizer.

É cedo pra escrever mentiras.

Você chegou agora e **<u>já faz tempo</u>**

que eu tenho uma razão de ser

meu amor, fui amar o mar.

JÁ FAZ TEMPO

Como você explica a saudade?

Um gatinho engatinha pela gente
em todo canto captura o coração
sem dó arranha
meu peito carente
como se fosse **d'água**.

Nantes, 22.2.2019

D'ÁGUA

Sente o cheiro da baleia
que dorme no teu abraço
ouve como ela canta o silêncio
preocupado
assiste ao seu **mergulho** leve e profundo
assiste ao seu assunto
sobre cada segundo
.
me abraça e não pensa nada.
sou a baleia alagada

ESTOCOLMO, 25.12.2018

MERGULHO

Dói tanto quando o rosto toma o vento

e os pés se tornam grandes pros sapatos

dói quando as penas são perdidas

e o sal toca as feridas já doídas.

Por que então me toma agora?

Por dentro e fora, o azul veste a baleia

explora o vasto como um astronauta

vê seu infinito por inteiro.

Dói perder o céu de vista

a noite engole o dia na janela

dói quebrar os ovos da minha vida

e estar tão solta longe da minha terra.

No fim do inverno frio

a neve chora

ESTOCALMO, 25.12.2018

o sol brilha no céu sobre o mar extenso

emerge o bicho d'água

o corpo imenso

segura o ar e afunda

vida adentro.

VIDA ADENTRO

A primeira linha é a mais difícil.

Cantar meu próprio silêncio no domingo frio e nublado

contar os prédios na janela, os pássaros que cruzam a vista

a multidão

de planos, desenhos e coisas a fazer.

Me acostumei aos meus costumes

ao endereço de cada panela, às seções favoritas no mercado, ao meu <u>fuso horário</u> particular.

Morar sozinha é intensificar-se.

Tomam as paredes meus antigos novos sonhos.

O começo é um risco.

A mais difícil, a primeira linha.

Me acostumo, agora, à vida própria dos meus projetos

fazem nascer aqui dentro

outra grande menina.

FUSO HORÁRIO

Eu matei a flor

a amarelinha que brilhava na rua eu levei embora

minha mão agarrou seu pescoço e deu a **sentença final**

agora

suas últimas horas

são minhas

a flor, coitada, não teve chance

amarrei-a no botão e a fiz andar pela cidade

levei-a ao supermercado, à casa dos meus amigos, ao cinema, ao museu

a flor passeou pelos meus bolsos, meus, cachos, minhas orelhas

a flor virou um pouco parte de mim

no banheiro, a flor não pulou na pia pra tomar um pouco d'água

na chuva, a flor não largou de mim

prometi levá-la pra viajar, contei a sensação de andar de barco, falei dos meus amores e perguntei dos seus eu e a flor nos acolhemos

vasculhamos nossas forças e fraquezas

encharquei seu caule, enxugou a chuva dos meus olhos

deitei-a em um vaso bonito e cuidei de cada pétala pra ela viver pra sempre

comigo

eu a queria tanto

e seu pescocinho verde

se enrolou

as pétalas mudaram de cor

e a flor que eu matei

murchou

antes de mim.

SENTENÇA FINAL

Je me souviens como se fosse nesse instante *du sentiment d'éternité qui* me invadia a cada manhã.

Ta présence a toujours dilaté le temps (até o trem poderia esperar a raspa do tacho do nosso abraço).

Ta voix éclaircirait la route de mes pensées nocturnes (e me reensinaria a dirigir à direita sem medo de escorregar da estrada).
Eu me lembro, você me ensinou a navegar nos barcos pequenos *(tu nous laisserait chavirer pour que j'apprenne à naviguer sur le bateau jaune, tu m'as suivi dans l'eau pour que je comprenne comment avancer sur la planche a voile).*

Você abraçou os meus sonhos *(on a visité des chantiers, des départs de course, des gens, t'as corrigé mes mails, dessins, lettres de motivation).*

Tu m'as dit que j'allais réussir à tout atteindre avec mon sourire. Tous les jours, toute la nuit, c'était toi le destin de mes envies.

J'aimerais ne pas me souvenir des raisons qui me font écrire cette lettre. Ne pas me souvenir de chaque fois que j'ai menti a mim para não te decepcionar, *d'avaler mes doutes, mes douleurs,* minhas saudades *et mes pensées* longínquos e tão meus. *J'ai eu besoin d'un port d'attache pour conforter et référencer mes rêves voyageants. J'aimerais ne pas me souvenir de la solitude* que senti ao descobrir que nosso universo, *notre complicité, notre chez nous, pourrait s'effacer* do nada.

Eu me lembro *d'être arrivée dans ce pays toute seule. D'avoir fait, défait, refait des amis* aqui.

Je savais beaucoup moins qu'aujourd'hui sobre tantas coisas, tantos assuntos, sobre fora e dentro de mim.

E fiz coisas extraordinárias, conheci lugares nos quais desejei estar para sempre, me perdi e achei onde me encontrar.

La vie à deux m'a rendu perpétuellement heureuse, mais je sais que sou inteira sem sua parte.

C'est dur, parce que je t'aime toujours. Parce que je me préoccupe avec toi. Parce que je pense à toi tout le temps et eu sei que *je pourrait juste oublier ce que j'ai vu avant-hier (comme je faisait a chaque fois que ta parole rejetait la mienne).* Gritos, murros, pancadas, dores que cresciam trancadas transbordando. *Parce que j'ai envie de t'embrasser, de caresser tes cheveux, tes mains, tes pieds, tes oreilles, tout ton être et ses appendices. Parce que j'imagine tout les traits qu'on pourrait marquer sur les taches bleues de la Terre. (Et d'écrire en pensant à toi me fait des doux frissons.)*

J'ai déjà repoussé l'horaire de notre **rendez-vous** *et je serais quand même en retard* (eu subestimei o tempo que me tomariam estas palavras). *J'ai plein des noeuds en la tête en ce moment.* Se eu pudesse te consultar, talvez deixasse menos evidente quanto eu ainda erro ao escrever com as palavras que me cedeu. Minha língua é meu refúgio. Quando quiser me achar inteira, procure visitá-la.

RENDEZ-VOUS

L'Atlantique les balades le vent salé
les **codes secrets** deux brosses à dents
les nuits éveillées un jus d'abricot deux
bières un verre plein un petit bateau
dans le playground un éléphant perdu les
lumières du port deux portes fermées les
silences remplis le manchot en peluche
tes réponses qui me coupaient comme un
couteau la fin de l'été l'envie de plonger
dans tes pensées portes toutes ouvertes.

CADERNO AZUL

CÓDIGOS SECRETOS

Quão deserto a gente se sente
mesmo num lugar cheio de gente
que falta faz ouvir o som do vento
se vento faz o nosso movimento
como importa estar sozinho
quando a gente ouve o próprio pensamento
trancado, com esforço, num potinho
entendo
o tempo se dilata na cidade
buscando sempre a novidade
gritando pra comprar o que eu não vendo
a idade
que saco
confesso que a vendi algumas vezes
por medo do não ter – futuro
preciso estar no meio do oceano
no escuro
não vejo além das luzes que acendi
e o muro de crenças sem sentido

da infância

danada

dou de comer aos peixes

em duas porções bem parecidas

de manhã, pros tubarões, a mais doída

de tarde, para as baleias, dei comigo

respirando por fendas laterais

comendo a própria história que a memória

distorceu para eu ter certeza:

o mesmo muro que eu construí

me molda

se solda ao futuro que temi

mas sei

que ter não tem sentido algum

que posso dar a alguém o tal <u>castigo</u>

de saber que o medo tem consigo

abrigo

uma porção em cada extremo

para mim e para um amigo

que o tendo perdido aprendi

não preciso possuir pra dividir

o tempo que só existe

aqui

meu pai disse que o mar não dá saudade

me conta, mar, por que deixar de dar o que nos traz sentido?

vontade.

CASTIGO

Ele dorme do meu lado.
Juntos, recarregamo-nos.
Come no meu colo, e eu, no dele.
Tão só, estamos sempre juntos
tão juntos, acabo sempre só.

Agora sou dependente dele,
e vice-versa.

Quando eu morrer,
espero que não se entregue
a mais ninguém.

Mas quando aparecer um mais bonito
mais novo
mais rápido
é desse que vou atrás
sem dó nem saudade.

Obsolescência programada
sou **refém**
do nada.

SÃO PAULO, 4.9.2015

REFÉM DO NADA

Na primeira vez em que pisei na casa dele, tive a sensação de entrar num quarto de hotel. Pensei contar o que senti, mas me contive; comentar a casa dos outros costuma ser um caminho sem volta – ainda mais daqueles que há tão pouco tempo conhecemos tanto. Mantive certa discrição e não reparei que ele tirou os sapatos antes de pisar no tapete branco da sala de estar.

Mas pra você eu vou contar a minha mais crua sensação.

Eu. Senti. Pavor. A disposição dos sofás era de uma simetria perfeita. Entre eles, uma mesa de vidro absolutamente transparente que parecia nunca ter ouvido falar de pó ou marca de dedo. Sobre ela, livros grandes e ordenados numa composição geometricamente harmônica em uma paleta de matizes complementares. Eu me pus a pensar: como um cara que discute história da arte e recita os próprios poemas pode morar numa casa com livros eleitos pela cor da capa?

Lembrei-me de quando era criança e, às sextas, ia brincar na casa das minhas amigas. Uma das casas era pequena, mas tinha um jardim incrível onde podíamos nos esconder umas das outras, nos achar e, no fim da tarde, nos esconder dos nossos pais pra não termos que ir embora nunca. Outra casa não tinha jardim, mas o sofá da sala de TV tinha almofadas que usávamos pra

construir castelos e cavernas de verdade e dormir
dentro. Uma terceira casa, lembro bem, tinha piscina,
jardim, sala de TV e lugares pra se achar e se perder,
mas nela morava uma mãe que não nos deixava tocar
em nada. Tão lindamente ornamentada, tão terrível
e tentadoramente proibida. Toda a imponência era
como a enorme cristaleira do *hall* e as estátuas gregas
da piscina: frágil.

Passei a ter certa aflição de casas feitas para serem
vistas. A ordem, a limpeza, a impressão de que cada
detalhe é consciente me faz acreditar que aqueles que
moram ali estão de passagem e podem ser substituídos
por qualquer um de gosto mais ou menos parecido.
Do extremo ecletismo tipo neoclássico ao radical
minimalista – casas em que tudo parece pensado para
estar onde está são, no mínimo, suspeitas, se não
mentirosas. E geralmente me pego presa a uma
dessas grandes questões da arquitetura: onde guardam
a árvore de Natal?

É também por isso que conhecer a casa de alguém
acaba sendo uma das experiências mais íntimas e
profundas que se pode ter com essa pessoa. Porque a
casa fala e denuncia o que as pessoas que moram nela
consideram importante, como se relacionam, como
querem ser vistas e como lidam com seus vazios.
O lugar também nos conta como a pessoa com quem
estamos se coloca ali: ela é uma avalanche, um *iceberg*
ou um floco de neve imperceptível?

Esses pensamentos pulsavam na minha cabeça
enquanto o ouvia falar algo de que não lembro. O jeito
singularmente preciso que ele tinha de arrumar
o cabelo fazia agora todo sentido, vendo que o espelho
pelo qual passava toda manhã enquadrava folhas de
bananeira iluminadas pela luz indireta vinda do chão.
Fiquei tonta e fui embora. Naquela noite, amei com
veneração as bicicletas que ficam na nossa sala de

estar por falta de lugar melhor, e as cadeiras diferentes
à mesa de jantar que são herança da mudança
do antigo escritório.

Prometi de pés juntos diante do meu espelho com
marcas de durex que, dos muitos assuntos que tinha
pra discutir com ele, jamais tocaria nesse. Acabei
tocando. Debaixo de muita chuva, quando voltei à casa
dele um pouco certa de que estava pra terminar aquela
relação sem nome. Ele devia estar também e, dessa vez,
me pediu em tom imperativo pra tirar as botas
molhadas. E, mesmo que não fosse tão teimosa, saí pela
porta branca, pisando no piso branco e deixando a
coisa mais verdadeira que existiu ali: um **rastro**.

RAJTRO

No carro há mil horas. A Marininha já me provocava
se espalhando pelo banco de trás, sua coxa avançando
o risco divisório entre o campo do meu banco
e o campo do banco dela. Eu não levantaria a voz tão
cedo. Foi minha ideia fazer a família atravessar
a Namíbia de carro pra chegar a Lüderitz, uma das
cidades mais ventosas do sudoeste africano. A Laura
dormia profundamente com a bochecha esquerda
enterrada no vidro e o pé esquerdo na minha perna
direita. Mais um pouco e chegaríamos a algum lugar
com gente.

Bonita, mas a vista cansava a vista. Enquanto
a centopeia do nosso trajeto crescia na tela do GPS,
a paisagem pouco mudava. Era como navegar num
oceano quase congelado de tão lento. As dunas
do Kalahari, ondas imensas de cor laranja-incêndio.
Nosso carro, um barco microscópico sem chance
de alterar o rumo. Um caminhão, um antílope, uma
placa de proibido-parar-zona-de-diamantes. A cabeça
da centopeia ameaçou tocar a borda da tela, e vimos
saliências ortogonais e formas reconhecíveis nascentes
da areia. Casas pequenas e casas grandes, telhados pra
neve da Alemanha, pra cobrir pessoas da Alemanha e
interesses da Alemanha em explorar diamantes no início
do século passado.

Saímos da clausura do carro pra andar pela cidade
imersa no infinito. Ondas de areia lavaram portas

LÜDERITZ, 10.5.2019

e janelas de Kolmanskop. Tomou celeiros, quartos
e salas de baile. Encheu banheiras em que europeus
tomaram banho até exterminarem nas dunas os
preciosos motivos de estarem ali. Antes deles, apenas
povos nômades moravam no Kalahari. A imagem dessa
cidade responde por quê: o perigo de navegar em
tempestade é querer parar o barco em ondas que
se movem. As dunas se movem.

Deve ser isso que pensa o faxineiro do museuzinho
de Kolmanskop, que hoje recebe visitantes
entusiasmados. Obrigado a combater a natureza com
uma vassoura e uma pá, ele nega tanto quanto pode
que a cidade é mais fraca que o mundo. Mas olha ao
redor e sabe: cedo ou tarde, teremos que admitir que
o pó existe.

Voltei ao carro com areia nas fendas do tênis e nas
palmilhas, conformada a me encaixotar por mais uma
hora entre minhas irmãs. Só é possível cruzar
o deserto em poucos dias se formos mais coisa
e menos gente. Nós nos acostumamos a cercar lugares
de paredes, cercar espaços de paredes, cercar corpos
de corpos e de paredes. A cruzar linhas imaginárias
como se pudéssemos vê-las. Nós nos acostumamos
a acreditar que, diante dos gigantes do tempo,
as nossas **fronteiras** resistem.

FRONTeIRAJ

Laura,

É tarde do lado de cá do oceano. Já tentei mil cantos, mil posições para pegar num sono que escorrega e foge de mim. Meus pensamentos viajam se perguntando como anda a vida na sua borda do Atlântico. Aqui na França, a vida corre como se nada: braçadas confusas no mar opaco e métodos precisos para respirar. A gente busca viver como antes, mas o antes já não tem lugar.

É noite escura. Pela janela, vejo mais do que as folhas dos *peupliers*, mais do que o carro do vizinho que vai ao mercado uma vez por dia, mais do que o céu que desaprendi a admirar de tanto que olho pra baixo.
De tanto que olho para elas, tantas telas. De tanto que me sugam desesperadamente para seus múltiplos céus e *ciels*, para seus vizinhos com outros carros e outros horários, para suas janelas que parecem tão mais intrigantes que a minha. Para outras cidades onde tenho vontade de estar e não posso agora, como a sua.

Hoje, você me faz muitas vezes mais falta, gêmea querida. Porque existe um abismo entre não ver e não poder ver. Entre estarmos separadas e não podermos estar juntas, por enquanto. Bastou as fronteiras se fecharem e a saudade se alastrou mais que o vírus. As saudades se multiplicam frenéticas, secretas, mesmo sem tocar, criando buracos nas pessoas, mudando os jeitos de ver os mesmos lugares. Não são só as

MARTES, 28.10.2020

saudades das gentes amadas que contagiam, mas também as das gentes que importavam sem a gente saber: dos colegas de classe, dos velhinhos nas praças, dos vizinhos de mesa no restaurante, que, ao fim, faziam parte da arquitetura do restaurante, assim como as luzes acesas, os barulhos das máquinas da cozinha, os cheiros de perfume e cigarro na entrada. E você sabe que eu nem gosto de cigarro, Laura...

Na escola de arquitetura estudamos estruturas, formas de paredes, nomes de revestimentos. Aprendemos a resolver os problemas dos prédios instáveis, inseguros, feios, maltratados. Mas como curar a solidão dos espaços sem ninguém? Como tratar a tristeza de uma escola sem colegas de classe? Como sanar a pena de uma praça sem velhinhos nem bichos de estimação? Deixemos, por um **instante**, as arquiteturas estáticas. Nosso tempo chama atenção para as arquiteturas vivas, para novos desenhos e jeitos de desenhar. Ele nos convoca a projetar encontros, mais do que lugares para encontros; a projetar partilhas, mais do que lugares para partilhas; a projetar sossego, mais do que praças, parques e ruas sem saída.

Arquitetos, especialistas na beleza dos lugares, no bem-estar nas cidades, deveríamos hoje andar pelas ruas procurando bichos de estimação perdidos, recitar nos pontos de ônibus poemas de autores ainda desconhecidos, convidar músicos para tocar nas ruas escuras e torná-las festa. Mais do que propor novos prédios de concreto, deveríamos propor vida nessas construções. Mais do que assinar plantas e elevações, deveríamos plantar árvores, causando elevações. Tantas dimensões tem a arquitetura além das concretas. A quarta dimensão é o tempo. Impossível de demolir, de restaurar, de pintar de outra cor. O tempo é raro, é precioso, incontinente. É o tempo que sobra quando as outras dimensões estão desertas. O tempo de salvar

bichos perdidos, o tempo de ouvir poemas, o tempo de
atravessar ruas em festa, o tempo de sossegar, de
partilhar, de encontrar. Quem, se não arquitetos, para
projetar a reforma dos tempos? Para propor novas
travessias para vidas existentes? Para desenhar a
paisagem de um dia geminado a outro?

Hoje não podemos estar juntas, Laura, mas também
nunca estivemos tão equidistantes do resto do mundo.
No campo virtual, os amigos da França estão tão
distantes de mim quanto de você, aí no Brasil. Abro
o computador sentada na cama e já estou na faculdade,
no museu, no jantar da vovó, no aniversario do Fabrício.
Leio sobre a pandemia, me aflijo com dados, sinto
muitas coisas sem nome.

Tiro os olhos do computador e lá estão as árvores
da rua e suas novas folhas, a moldura da janela, o céu
que, de tanto mudar, continua o mesmo.

A janela mudou de graça durante o isolamento. Não
preciso dela para ver ruas, para ver o mar, para ver
vizinhos. Basta deslizar o dedão no celular e logo acho
outras vistas. Mas a janela emoldura vistas para dois
lados. De noite, quando o céu estiver apagado
e eu acesa, a rua vai saber que estou aqui. Mesmo
desconectada de todos os aparelhos que existem, ainda
existirei em algum um lugar. Hoje, uma parte da vida
mora dentro das telas (o trabalho, a escola, os
encontros), e a janela é companheira da nossa travessia
solitária pelos dias.

Saio de casa para buscar pão. Busco manter distância
física, mas as cidades são lugares de tocar e ser tocado.
São lugares indesligáveis, incaláveis, que forçam
a convivência com o estranho, o imprevisto,
o indesejado. Para atravessar uma rua, é preciso
carregar o corpo junto aos pensamentos, é preciso

MARTES, 28.10.2020

lançar mão de todos os sentidos, é preciso estar
presente no instante em que se atravessa. Não dá para
pausar no meio, para pular a página, para desligar
o microfone e escapar dali. É preciso se expor
e enfrentar os perigos iminentes: de trombar por acaso,
de ouvir o outro, de perder a hora, de ser atraído pelo
cheiro do café, de ser visto como se é. Vidros, muros,
grades, espelhos não dão conta de dividir e controlar
as vidas que atravessam os espaços urbanos. É preciso
estar inteiro e aberto na cidade.

Os centros urbanos não servem mais para nos servir.
Para comer japonês, basta pedir japonês. Para ver
as obras do Louvre, basta buscar "Louvre" na internet.
Mais do que nunca, as cidades são lugares de sentidos.
Lugares de atravessar e ser atravessado. Lugares para
encontrar o desinteressante, o amor frugal, o tédio,
as *boulangères* impacientes, os corpos imperfeitos
como os nossos, as coisas que não buscamos, mas
temos de achar. Precisamos lembrar que existe mais
do que o que queremos notar: o pó que se acumula
sobre o piso dos salões, os ratos no trilho do bonde,
os sinais vermelhos, a vitrine que gera uma saudade
infinita. Tem muitas camadas uma viagem à padaria.

Você me faz falta, Laura. Mas cada pedacinho da falta
vai inundar de sentido nosso próximo encontro.
A internet tornou possíveis muitos impossíveis, mas
não foi capaz de anular a ausência que causa alguém.
Também para isto servem as distâncias geográficas:
para corpos atravessarem o oceano desejando estar
lado a lado.

Sua irmã,

Tamara

INSTANTE

— Mata e limpa a faca.

Meu pai me ensinou a passar sem deixar vestígios. Passar. Não impôs restrição de lugar ou ação, desde que os meus poucos rastros fossem conscientes e planejados. Foi assim que plantou em mim a obsessão com o que eu deixava pra trás.

— A próxima pessoa a chegar aonde você passou tem que achar que **ninguém** nunca esteve lá.

Ouvia ele e concordava. Ninguém tem de arcar com as consequências da minha passagem.

Numa dessas arrumações pelos lugares que cruzei, dei com uma caixinha de *slides* deixada pelo meu avô. Minifotos físicas; marcas reais e tangíveis da experiência do cara que foi meu avô antes de sê-lo. Seriam rastros intencionais? Pelo sim, pelo não, suas pegadas obstruíram meu caminho. Sugaram uma pá de horas de curadoria, os focos de documento e fundos de mitologia daqueles objetinhos. Ai, ai, as consequências das passagens alheias, dos vestígios alheios que se embrenham nos nossos e alteram nosso trajeto. Eu brincaria com as fotos para tentar ouvir as histórias que não conheço. Para cada *slide*, uma nova trama, um novo papel a seus personagens, um novo lugar que só existiu aos olhos do meu avô naquele instante.

SÃO PAULO, 17.6.2017

É, pai, tem vestígios que são pra ser. Enfiei a última fatia do queijo na boca e passei uma água na faca que abandonei no escorredor.

SÃO PAULO, 17.6.2017

NINGUÉM

Um dia ainda vou juntar os meus diários numa caixa. Feita do plástico mais leve que existir então. Tem que ser fácil de carregar na mudança e de dar, pegar emprestada – ou jogar fora.

Até porque... pode ser que não sirva pra nada.

Gostaria, na verdade, que não servisse. Mas acho pouco provável: tanta gente acha graça em saber da vida dos outros. Imagina quantas vidas ocas se preencheriam com a nossa.

E quantas se preencheriam com aquelas que moram no papel. E despertam as da nossa cabeça.

Porque, quando a gente liga pra alguém, precisa falar consigo.

E o pior é que, quando eu morrer – se eu morrer –, ninguém vai saber de mim. Sem perceber, vão saber, de si próprias, coisas que acharam que eu tinha sido.
Por isso mesmo torço pra não servir pra coisa alguma. Assim, pelo menos, talvez tenha sabido que me soube.
E o diário, vou confessar, é só pra eu acreditar que era o que quis ser quando escrevi. **Um dia.**

SÃO PAULO, 17.6.2017

133

UM DIA

Demorei pra ler o livro do meu pai. Na primeira vez em que li *Cem dias entre céu e mar*, estava na quarta série e li numa dessas viagens de quatro horas indo de Paraty pra São Paulo. Com a estrada de Cunha literalmente caindo aos pedaços, as notícias sobre trânsito e andarilhos da Band Vale e a pouca luz do entardecer, convenhamos que não foi com a mais digna atenção que meus olhos correram as páginas do volume azul. E talvez, na época, *Desventuras em série* soasse um pouco mais interessante.

Na primeira vez em que li direito, estava no começo do ensino médio. Muita gente dizia que o livro torna pessoas determinadas a tomarem grandes decisões. A decisão que eu tomei foi de não conter palavras, gritos, pesquisas no Google e visitas a operadoras de turismo perto de casa pra saber como se chegava a Lüderitz (do modo convencional).

Assim começou a viagem para a cidade de onde partiu o IAT. Pra várias pessoas, ele pode ser um barco micro que um cara sem noção usou pra fazer uma viagem arriscada, que, por sorte, deu certo. Mas o barquinho a remo é hoje a minha certeza de que mesmo as ideias mais absurdas do meu pai a gente tem que levar a sério. E as nossas próprias também.

Já que íamos pro sul da África, minha mãe, que faz questão de ver bicho, quis nos levar a um safári no

Kruger Park (reserva com vários animais nativos daquela região da África do Sul). Meu pai não se interessou pelo programa turístico e deixou que fôssemos só nós quatro. Eu gostei bastante da experiência, mas, depois de uma semana passeando na mesma estrada, vendo os leões no mesmo lugar (sempre dormindo e bocejando) e ao lado de trinta pessoas que só viam os bichos pelo visor da câmera fotográfica (ou, em casos extremos, pela nada discreta tela do iPad), desconfiei de que meu pai não estivesse tão errado. Mas gostei mesmo assim, valeu a pena, e eu voltaria lá hoje mesmo, se pudesse.

Encontramos meu pai no aeroporto de Windhoek. Instalamos a cabine de comando terrestre no painel do carro. As funções se dividiram dentro do veículo: piloto, copiloto, engenheira de navegação, fotógrafa e reserva (para turnos). Viajar de carro com a nossa família é uma coisa engraçada. Meus pais têm uma discussão a cada quinze quilômetros porque meu pai resolveu secretamente fazer mil quilômetros em um dia e minha mãe viu um passarinho com o bico laranja que ela nunca tinha visto em uma cerca na estrada bem onde tinha aquela árvore com as flores lilás e quis fotografar. Tudo bem: meu pai reclama na hora, mas depois é na palestra dele que as fotos vão parar. (Não todas, claro, senão a palestra teria milênios de duração, mas algumas de cada cem fotos quase repetidas.)

Os desertos eram sem fim. E, de muitas formas, **cores e tons** de areia. Tive a sensação de ver a Antártica com filtro laranja e bem quente. De vez em quando, cruzava a estrada um antílope. Não sei como ele sobrevive entre tantos quilômetros sem um pé de árvore ou um fio d'água. Levávamos o piquenique na picape para as paradas estratégicas fora da área proibida de diamantes.

Estranhamente, Lüderitz batia por completo com a sua descrição desatualizada em trinta anos. Meu pai ficou espantado, porque conhecia todas as ruas, sabia onde as lojas ficavam e até quem eram os proprietários, que ainda atendiam do outro lado do balcão. Tivemos um jantar histórico com pessoas que participaram do começo da travessia, contribuindo ou dificultando, mas fingimos que não importava mais, porque agora os jovens personagens da lembrança eram senhores simpáticos.

No fim, os melhores momentos da viagem foram numa pequena cidade parada no tempo e com um vento assustador. Talvez porque, de todos os lugares, era aquele o único em que a gente sentia ter uma história. Ficar à mesa ouvindo gentes de cabelos e barbas desbotados falando sobre outros, sobre uma viagem que não existe mais, me fez acreditar que, quando cidades se transformam, animais se escondem ou se extinguem e pessoas que se veem todo dia se conhecem cada vez menos; amizades breves, distantes e feitas numa viagem com data para acabar são a fonte mais próxima de reencontro das pessoas consigo mesmas.

Quem sabe se aos sessenta anos eu não terei uma Lüderitz de onde meu minibarco terá partido?

cores e tons

Foi quando aprendi a ler as placas nas estradas que conheci o Pantanal.

A maior área continental alagável do mundo foi a alternativa que minha mãe encontrou para ficarmos longe de Paraty, mas não da água.

A fazenda em Miranda foi onde aprendemos a andar a cavalo, a identificar as espécies de pássaros e a não ter medo de chegar perto dos jacarés.

Tomávamos café da manhã ao lado da jaguatirica, brincávamos de achar tamanduás-bandeira e viajávamos na caçamba da picape, todo dia, na tentativa de ver de perto uma onça-pintada. Por sete anos consecutivos, vimos só pegadas, mas foi nessa incansável busca que minha mãe nos ensinou a amar estar perto dos animais.

Em julho, época da seca, os jacarés passavam o dia tomando sol com as capivaras em um lago perto do rancho dos cavalos. Em janeiro, contam as famílias da fazenda que eles se mudavam para a piscina.

O Léo era, e ainda é, um dos meus grandes ídolos. Morador da fazenda, ele tem olhos supersônicos que identificam micropassarinhos a quilômetros de distância. Ele sabe o nome de todas as espécies e tem a maior paciência do mundo com as crianças que não param de gritar com a cara no vento do carro em movimento. Não sei se terminou a escola, mas sabe

MIRANDA, 22.7.2016

sobre os animais tudo o que não se aprende em livros de quem estuda o que não viveu.

As viagens para o Pantanal foram um **ensaio** para os relatos das viagens futuras. Aprendemos a registrar nossas descobertas científicas num diário, a fazer experimentos fotográficos e a encontrar verdadeiras cachoeiras de conhecimento nas pessoas que aprendem com a experiência, não apenas com a informação. Com isso, descobri como ler as placas que acompanham a estrada do pensamento, que eram instaladas à medida que abríamos a porteira das descobertas, e eu era capaz de fazer caminhos.

ENSAIO

Por seis anos, meu objetivo na vida foi um só. A pele descascada dos meus ombros era prova da minha obsessão por catar conchinhas de vários formatos: borboleta, estrela, enroladas e chatas – excluídas as cor-de-rosa, elas iam todas para o museu particular do meu quarto.

Reconhecia lugares pelo formato, pela cor e pela espessura desses presentes do mar. Em Paraty, eram pequenas e arredondadas; em São Francisco do Sul, eram mais finas e compridas; no Pantanal, marrons e quase esféricas (onde os tuiuiús enfiavam o bico); na Antártica, pareciam pirâmides azuladas.

Não sei exatamente em que ponto interrompemos a coleção. Minhas irmãs reclamavam da poeira branca nas mesas do quarto, da areia nos armários e do uso privado do espaço público. Um dia percebi que aquelas esculturas eram mais bonitas na beira d'água do que nas caixas transparentes e que eu podia admirá-las sem possuí-las.

Tinha doze anos quando nossa mãe nos levou pra mergulhar. Nosso batismo foi em Paraty. O lugar que eu pensava conhecer com as palmas das mãos e a sola dos pés era tão raso frente ao universo que existia sob a superfície. O cilindro me deixava encontrar peixes, tartarugas e estrelas-do-mar sem que eles viessem até mim. Também vi conchinhas. Muitas. E em movimento.

Como me enganei ao pensar que eram enfeites; eram habitações para muitos e diversos tipos de moluscos, de crustáceos. Sem graça, descobri que, em terra, eu guardava condomínios abandonados que pertenceriam aos bichos do mar.

O mergulho mostrou que a beleza existente no ecossistema marinho morria se parte dele fosse levada embora. Os ornamentos naturais são respostas de milhões de anos, seleções e acasos. A adaptação das espécies estrela o teatro do oceano.

Difícil pensar assim num tempo em que tudo de que a gente gosta a gente quer levar pra **casa**. Eu tentava conter o prazer da descoberta, mas ela não estava no objeto. Bastava a memória.

CASA

Serra do mar

nuvem nas narinas

cheiro de voltar pra casa e o lugar mais lindo que eu conheço de quando em quando

entre vazios de mata

o som de terra molhada e

a sua surpresa em francês no banco ao lado.

Te mostro minhas raízes

te entrego meu canto do mundo

fazemos a curva no corpo da minha história.

Dormir debaixo do meu pedaço de céu

cruzeiro do sul e estrelas-bolacha na areia

montamos coqueiros, descemos bananeiras pra pegar bananas verdes, voltamos pra casa com um cacho imenso.

Lambuzo o rosto chupando manga

ando descalça pra engrossar a sola do pé.

PARATY, 5.8.2019

Mesmo no inverno, céu **azul** e sol quente

te apresento o meu

— como sempre —

PARATY, 5.8.2019

AZUL

Geography class. 4th grade:

We would study countries and charts

everyone came with grandma's

beautiful sets of pencils

to color the earth

we used our prettiest pencils to

paint the nations we loved the most

blues, however,

we kept them aside

as if everyone's favorite color

*was too **precious***

to belong to anyone

other than the sea.

CAVAL DA MAVCHA, 20.7.2020

PRECIOSA

Já tinha feito de tudo para me desentediar

fiquei escovando os dentes em sequência

como se o frescor na boca

fosse trazer novos ares

à <u>monotonia</u> do céu nublado.

O ápice da manhã

foi a foca morta

boiando, cercada de gaivotas que

aguardando

se entreolhavam.

Barriga virada pra cima

sobre a superfície do mar

como uma ilha branca

onde todos os bichos do mar e seus marinheiros

faziam escala e

reuniam-se para reparar as penas

da solitude de um dia sem sol.

MAR DO NORTE, 26.7.2020

MONOTONIA

Vamos da França à Inglaterra, da Holanda à Dinamarca

e tudo o que muda são as letras pintadas nas cartas

o mar parece não ter reparado

que seu corpo gigante e pungente

foi riscado com linhas pontilhadas cor-de-rosa.

Os **pequenos terrestres** que ousam desenhá-lo

dividem-no em pedaços

repartidores de suas riquezas e inadimplentes do mal que causam

onde é impossível haver fronteiras

os terrestres *terrilham*

(nas salas de reunião, dá para acreditar nos limites e nas partilhas, mas quem navega sabe que até garrafas PET dão voltas no mundo).

PEQUENOS TERRESTRES

Era tanto tédio

que até desejei ter sinal de celular

aceitando desligar-me da vida circundante

(e às vezes chata)

e baixar a cabeça

para olhar entre os meus dedos a **janela**

que mente o mundo.

Mar do Norte, 26.7.2020

JANELA

Se meus pais fossem agricultores

talvez eu sonhasse navegar num mar de girassóis

ancorar num terreno fértil

mergulhar minhas mãos na terra

deixar sementes

e esperar o bom tempo para colher **meus frutos**.

.

Mas meus pais são navegadores

e herdei o maldito sonho de

afastar-me da raiz

perder de vista os pontos fixos

(ser esquisita e estrangeira)

sentir-me em casa avistando a terra incógnita

que não me pertencerá jamais.

.

Como se eu fosse a própria semente

vulnerável às enchentes e às forças do chão

tentando me achar no escuro

passando os braços crescentes nos vazios

esticando as mãos na superfície para sentir

um pouquinho

o calor do sol

crescendo colada na terra

com seus formatos e suas marcas de secura e sal

consciente

de que os rastros que eu construo com esforço

serão dissolvidos

atrás

da minha passagem.

MAR DO NORTE, 28.1.2020

MEUS FRUTOS

Nos livros antigos

eu detestava a parte em que os marinheiros partiam

e as **moças** ficavam abanando no cais

mas tenho que admitir

que sinto uma alegria enorme

de me despedir de amores

e amantes

que eu deixo no pontão de cada porto.

BREST, 18.7.2020

MOÇAS

Estava noutra

tirando fotos dos prédios coloridos
enfeitando o canal de Amsterdam

e você seguia meus passos

enquanto eu cruzava o sinal

quando te vi levei um susto

me fez perguntas indiscretas e eu quis
me aventurar no seu sorriso aberto

naquela hora eu já sabia

que dali visitaríamos a cidade

pararíamos num café para tomar
cerveja ou chá

que eu perderia meu trem das onze

(de propósito

cais cais cais)

e dormiria embarcada nos seus braços

até me desfazer das suas **promessas**
de amor

AMSTERDAM, 24.7.2020

naquela manhã seguinte

sua terra ficou pequena

atrás dos contornos do oceano.

AMSTERDAM, 24.1.2020

PROMESSAS

Onde o Pacífico e o Atlântico pelo sul conversam,
damos o nome de Drake. O encontro, no veleiro, é
medido em dias: sete na vela ou três
no motor.

Prefiro chamar de conversa em vez de discussão.
Às vezes, os dois oceanos brigam como pais e filhos
falando de política. São dias de cama e jejum,
sem sair nem pra ir ao banheiro. Outras vezes,
os oceanos falam de música, de arte, de café. Nesse
caso, o mar vira azeite, o barco quase não mexe
e parece que nem saímos dos canais chilenos.

Quando éramos menores, nós três (e a Gigi, nossa
amiga) forrávamos a sola da bota com papel-toalha
e aproveitávamos o balanço pra escorregar pelo
compensado naval do salão. Se caíamos no buraco
da cozinha, tinha chororô de cinco minutos até
escorregarmos outra vez. Meu calcanhar de aquiles
era (e ainda é) sentir aquele cheiro de diesel
sufocante, amargo e opaco vindo do aquecedor da
cozinha. Tanto medo tinha do cheiro que não saía
da cabine de comando nem pra domir. Não era
boba: lá dava pra ver o mar e conversar com quem
fazia o turno da vez.

No estreito de Drake se intensificam a rigidez,
o agrupamento e a ordenação fixa dentro do barco.
Como moléculas de água no estado sólido, não
saímos muito do lugar. Quando as ondas crescem,
quebramos o grupo em pedaços e não nos vemos
por dias. Já se o mar acalma, ficamos fisicamente
conectados no sofá da cabine de comando.

AMSTERDAM, 24.7.2020

Raramente navegamos sozinhos. Petréis e albatrozes nos acompanham, voando sem parar. Uns com outros, fazemos piadas, contamos histórias, trocamos dicas antienjoo ("olha o horizonte", "come maçã", "toma remédio", "deita", "põe pra fora" é o que mais resolve) e apostamos quem vê o primeiro *iceberg*.

De certa forma, o Drake ajudou a preservar a Antártica: se fosse fácil chegar, não teria levado tanto tempo para se confirmar a existência de um "anti-Ártico" no sul da Terra. Não seria tão intocado, desconhecido.

Também não seria tamanha a alegria de estar lá: destinos alcançados sem barreiras têm graça efêmera.

Lá está o *iceberg*. Primeiro sinal de uma enxurrada de maravilhas: pinguins acompanhando o veleiro, focas-de-weddell em pedaços de gelo, montanhas (terra!) e, às vezes, baleias. Ocupamos toda a área disponível a bordo: tem festa na cozinha, correria no convés, penteado de cabos no salão, conserto de equipamento na garagem e planejamentos de toda ordem em todo lugar. Somos livres pelo espaço.

A presença do primeiro *iceberg* é o **ponto que separa** o estado mais rígido do mais volátil da viagem. E, por isso, essa mudança é tão sentida. Precisamos provar a dor pra, nas coisas belas, ver o sublime.

PONTO QUE SEPARA

Eu não podia acreditar. Perguntei pra minha mãe se era verdade que estávamos encalhados. Ela fez que sim. O fundo era tão raso que eu podia andar com água nas canelas. Éramos sete no veleiro: minha família, Rogério e Flávio. Meu pai, tenso, não pensava nas providências, só as tomava. Iríamos sair dali, mesmo que os mastros flexíveis tocassem a água. Tocavam. Não entendi o que se passava, mas senti que, quanto mais longe ficasse do foco de resolução de conflitos, melhor.

Engraçada essa reação! Já não era a primeira vez que fazíamos essa viagem nem a primeira vez que encalhávamos em algum lugar perigoso. Ainda assim, não achei que estivesse a meu alcance a capacidade de contribuir para a solução do problema. Nossos pais nos levaram pro mundo dos barcos com sólidos rastros de experiências e pesadas bagagens de noção. Eu, tão pequena, tão novata nessa condição de existir, subestimei-me.

Ao estarmos excluídos das dinâmicas habituais do mundo globalizado, mesmo por um breve período, me esqueci do que inovações tecnológicas recentes nos propiciaram. Meu pai começou a navegar num tempo em que o sol e estrelas julgavam o direito dele de saber onde estava. Pelo menos vinte minutos de cálculos complicados e consultas a fórmulas e tabelas pra ter alguma vaga ideia sobre seu avanço ou retrocesso no mar. Vinte e cinco anos depois, sua filha de oito anos era capaz de bater os olhos em uma tela colorida e PIMBA! 68°11'S, 067°00'W, baía Margarida.

PENÍNSULA ANTÁRTICA, 10.4.2016

Não são necessários livros ou especialistas para aprender nós ou regras de balizamento. Aulas virtuais, vídeos no YouTube, manuais em PDF; a ausência de um professor não é limitadora. Sobre presente, passado e futuro meteorológico, a bola de cristal vem por *e-mail* ao nosso telefone via satélite. Enfim, temos hoje a estranha sensação de poder aprender a navegar sem nunca ter entrado num barco. Claro que essa sensação é irreal, porque infinitas são as variáveis que põem, todo dia, nosso saber sobre esse meio de transporte em xeque. Porém, ela nos oferece a vantagem de ir atrás do que nos interessa com mais independência de acasos ou terceiros.

O casco de alumínio ainda oscilava sobre o fundo. Fazia tanto barulho que era melhor correr o risco e ficar do lado de fora, tomando cuidado pra não atrapalhar os procedimentos de desencalhe. Observei o Flávio, no bote, empurrando o casco, meu pai levantando o leme pra não bater e forçando a movimentação das cem toneladas em que morávamos.

Percebi que, num tempo em que a informação parece tão acessível o tempo todo, é fácil nos distrairmos e deixarmos pra depois coisas que queremos aprender. É fácil fugir de conflitos e perder oportunidades com medo de se ver ignorante na frente dos mais experientes. Uma vantagem, acredito, é a certeza de que o mundo caminha para a aparente simplicidade. Porém, por confiar nela, sonhamos com algo além daquilo pelo que batalhamos.

Aquela pedra não estava cartografada. Talvez um dos últimos redutos de terra desconhecida do mundo. Nós a marcamos na carta náutica com um X. Na minha mente, também fiz uma marcação: no ponto mais raso em que já pousei no mar, nasceu minha ânsia por profundidade. Perdi o medo do não saber, desde que não deixasse o aprender pra outra hora, desde que desse valor à experiência, sem subestimar a ausência dela – **a maré subiu**, saímos.

A MARÉ SUBIU

Tinha um vão entre o costado do *Paratii-2* e a draga à qual estávamos atracados. Pulei o vão e corri para a draga feito um macaco pra dar o último abraço em meus pais, minhas irmãs e nossas amigas, Cris e Tamara, que em silêncio já sabiam desde o começo, na nossa chegada a Abrolhos, que aquilo iria acontecer.

Olhei para a cara do Rafael e do Danilo esperando a indicação de que sairíamos. Motores ligados, toda a tripulação (de três) no convés em silêncio. "Tem que ter o *feeling*", disse o segundo.

Que raios de *feeling*, meu Deus? O de ter desfeito compromissos, rasgado a passagem de volta e ver partir o grupo de pessoas com quem eu vim – sem mim?

Na primeira vez em que, com voz quase infantil, pedi a minha mãe pra ficar no barco até Paraty, ela disse: "A gente veio junto e volta junto". Eu não tive a menor chance contra a sabedoria irrefutável dessa ideia fixa. No dia 23 de outubro, às dez da manhã, segurei as alças da minha mochila vermelha para conduzi-la até a *van* que nos levaria ao aeroporto de Rodrigo de Freitas. Muito a contragosto, enfiei no pé o tênis e me sentei pra amarrar os cadarços. Fiz questão de ser a primeira a estar pronta e a última a sair, como sempre – e talvez só pra provocar. Vi quando minha mãe sentou-se ao meu lado, já com tudo no carro, e perguntou: "Tem certeza de que quer ficar?".

Tive a sensação de que um cinto sufocava a boca do meu estômago.

Estrangulei minha euforia. Mentalmente, tracei uma estratégia, fiz ligações para desmarcar compromissos indesmarcáveis e pesei as perdas acadêmicas causadas pela minha ausência. Tinha medo de responder. No fundo, ela ensaiava, pelas minhas ideias, sua confiança.

O *feeling*. Agora eu era oficialmente um dos três que soltavam os cabos de atracação. Meus pés, já novamente descalços, eram empurrados pela reação da força peso do meu corpo correndo pelo EVA do convés, o mesmo convés em que, sete anos antes brinquei com minhas irmãs com neve austral. Aquele Drake foi a última longa travessia que fiz ali, e agora corria atrás dos cabos e do tempo pra compensar sonhados anos de navegação não consumados.

Nos afastamos do cais, e eu vi que não tinha a menor chance de retorno. Ajudei o Rafael a subir as velas assim que deixamos o canal de Caravelas – eu meio envergonhada por não saber a função de cada cabo que puxei. Com força. Pulei pra dentro do barco pela gaiuta e limpei a cozinha o melhor e mais rápido que pude, pra ter tempo de perguntar pros outros dois o porquê de cada coisa. Qual é a contribuição relativa das velas? Por que não abrir as genoas? Qual é a relação da profundidade com o tamanho das ondas? Por que varia o som dos motores? Quando acabam os problemas, a gente faz o quê?

Torci secretamente pra surgirem novos pepinos que me deixassem aprender soluções. E não tenho do que reclamar: participei da tentativa malograda de nos dar meio nó de velocidade a mais, vi o monitoramento de um vazamento de diesel que logo se resolveu com a troca das mangueiras, entendi como esvaziar o porão da casa de máquinas que tinha empoçamento d'água e acompanhei o *jaibe* louco que estourou o *preventer* depois de uma quase colisão frontal com um navio que não quis mudar de rumo apesar da nossa insistente sinalização e evidente preferência.

Se a princípio eu não tinha turnos noturnos, acabei tapando vários buracos quando meus colegas estavam exaustos – por vezes por mais de quatro horas na madrugada.

Não conseguia mesmo dormir. Nem de noite, quando via a lua minguante com quem queria se casar o rato da música que cantei com a Marininha no dia anterior. Eu me cansei de comer tapioca, pensando nas missões frustradas, mas nunca inconclusas, que eu e a Laura cumprimos pra acertar a forma da massa.

Arrisquei um diário em vídeo pra, de algum jeito, conversar com minha mãe sobre os sucessos da viagem e levá-la pra dentro do barco. E, depois de dobrarmos a esquina em Cabo Frio, passarmos pela ponta da Joatinga, eu fiquei encarregada da roda do leme até a ilha da Bexiga. O Jurumirim ainda estava lá.

A gente veio junto e volta junto. O barco da minha vida tem o meu pai em cada parafuso. Todo clique fotográfico é um preito à nossa cultura familiar de fazer registros, e o diário de cada um tem um pouco de todo mundo.

Ao chegarmos à Marina do Engenho, ajudei a amarrar os cabos no cunho – e não foram os mesmos os pés do começo que saltaram o vão entre a popa do barco e o flutuante. Se tem muito (muito) chão pra eu desvendar as razões de ser do *Paratii-2*, ao menos agora eu sei que ainda posso fazê-lo. Obrigada, pais, se sou criança nas vontades, mas não nos compromissos, prometo torná-los testemunhas de que consigo fazer **o vão entre meus sonhos** e o mundo terreno menor.

ABROLHOS, 26.2.2016

O VÃO ENTRE
MEUS SONHOS

Não sei como convenci meus progenitores a me deixarem participar dessa viagem. O plano era ir de Guaraqueçaba, uma pequena cidade do Paraná, a Paraty. As trezentas milhas serpenteavam por canais e mar aberto, riscados na fé de que as duas bateiras recém-construídas seriam valentes o suficiente.

Fui com meus pais até Guaraqueçaba de carro. Aproveitei as onze horas de viagem pra estudar o caminho e me preparar para que, mesmo no papel de iniciante, eu pudesse dar alguma contribuição. Inclusive porque, se alguma falha trouxesse o mau humor ao rosto e ao tom de voz do meu pai, os quatro metros da bateira não seriam suficientes para desaparecer de vez.

Jantamos coisas do mar na mercearia Rodrigues e fomos para a pousada debaixo de chuva. O dia seguinte não amanheceu tão melhor: ventava, chovia e fazia frio. Agradeci com todas as minhas forças aos não muito charmosos toldos de lona azul que, apesar de atrapalhar a navegação, mantinham secas algumas providências.

Parávamos para comer em alguns horários e pontos estratégicos do canal do Varadouro, mas, enquanto não chegava a hora ou lugar, crescia nossa coleção de potes vazios de conservas.

A tripulação era composta por seis pessoas mais dois rotativos, divididos em dois barcos quase iguais. Ambos foram feitos pelo João, mestre naval, campeão das tradicionais corridas de canoa da região. Ele me contou que os barcos são feitos, em sua maioria, longe do mar, no meio da floresta. Ele junta um grupo de pessoas e sai à procura da madeira. Ao redor, fazem um acampamento que habitam até o barco ficar pronto. Juntam-se reforços pra levar o recém-nascido pro berço em que ele vai, com sorte, pra sempre, morar.

"E por que o barco tem que ser bonito, João?"

"Ah, tem que ser, né? Chama atenção."

Num tempo em que tudo é padronizado, de plástico, fibra ou alumínio, fiquei me perguntando qual seria o sentido da estética num objeto tão funcional. Mas o barco, por algum motivo, conserva a importância autoral e artística do mestre que, sem lápis nem papel, o concebeu.

O canal do Varadouro era cheio de truques. Vez ou outra nos descobríamos um ou dois palmos acima do fundo. Nossa maior fonte de informação era um iPad mini, na cabine de comando improvisada entre dois caixotes de plástico encaixados. As bateiras apostavam uma eterna corrida. Durante meu turno no leme, fiquei com um pouco de medo de entrar no lugar errado: a atenção à carta às vezes se perdia durante a observação das aves e das árvores que cercavam a passagem, e era difícil manter o foco por tanto tempo andando a poucos nós, quase sempre, em linha reta. De repente, a bateira concorrente estaciona no meio do canal. Na ingenuidade de quem escolhe sobrevoar a água mais escura, talvez com mais peixes pra ver, acabei por escapar de dois enormes bancos de areia. Já nosso oponente não teve a mesma sorte.

GUARAQUEÇABA, 17.2.2016

O moral ligeiramente mais elevado me garantiu uma participação maior do que a prevista. Acabei ficando em Cananeia, porque eles acharam que o mar aberto era "perigoso demais". Não gostei muito do desembarque forçado, mas tive que aceitar. Segundo relatos, o maior problema não **foi o mar**, mas esteve dentro do barco o tempo todo. Problemas de saúde diversos, sobretudo no estômago, acometeram grande parte da tripulação, que fez uma parada excepcional no Guarujá. Faz parte das decisões de viagem entender que talvez os piores limitadores estejam na humanidade, não na máquina.

Em duas semanas, sob coqueiros e na areia branca da Marina do Engenho, as bateiras gêmeas chamavam a atenção em Paraty.

FOI O MAR

Daqui a seis horas veremos os contornos
da Dinamarca

a imensidão que rodeia o barco

vai parecer mero pano

de fundo da chegada

a linha do horizonte que me assegurou

por dias

será subtraída pelas formas do continente.

.

Desde que partimos, quero chegar

cegamente.

.

Em poucas horas

nosso barco,

que vence bravo as ondas e a distância,

vai se tornar mais uma

entre as cascas flutuantes

que habitam os pontões do porto.

.

Meu corpo

que luta e me segura de pé

estável

valente

potente

se tornará mais um

entre tantos corpos andantes

ocupando olhares

desocupando mentes.

.

Minha cabeça

que combate e domina colinas:

medo

sono

enjoo

ansiedade

vai se tornar mais uma

refém da minúscula cidade.

.

Até as roupas

que me isolam do frio

me protegem da chuva, da água salgada, do vento

serão medidas pela cor, pela etiqueta e suas características mais desinteressantes de roupa.

Poderia dar tantos exemplos

dos abismos entre o mar e a terra

vou achar normais coisas que não são:

eu mesma

na minha forma mais terrestre

serei estranha ao porto e ao meu corpo

enquanto um acostumou-se a ter-me inteira e me terá em partes

outro estranhará os corpos que sabem do que corpos são capazes.

Posfácio

Tamara,

Na jornada do seu crescimento descobri que o maior legado que os pais podem deixar não são coisas, mas experiências vividas. A intensidade do que desfrutamos juntos nos fortaleceu.

Agora, adulta, você poderá enfrentar o mundo sem medo, porque tudo aquilo de que precisa já está dentro de você.

Mostrei que fazer registros cotidianos seria importante porque, com o tempo, tudo o que vivemos desbota, se dilui ou evapora – até as melhores lembranças!

No começo, registrar era um verbo difícil de se pôr em prática. Foram precisos disciplina e muito treino, mas você se dedicou com tanto afinco e capricho, que esse exercício passou a ser parte da sua rotina.

Em cadernos que pareciam pequenos, você soube fazer caber um mundo inteiro. Cadernos mágicos onde você deu ao seu cotidiano poderes especiais de perpetuação.

Seus registros me emocionam por palavras e traços, que fluem com facilidade do seu coração para o papel.

Em poucas linhas, você transforma textos em máquinas do tempo, que me transportam para os dias em que, ainda pequena, era somente minha filha.

A você, todo o meu amor.

Marina Bandeira Klink